Hélène Amalric

Le Mystère
de la Villa Maud

MARABOUT

LE MYSTÈRE
DE LA VILLA MAUD

La locomotive cracha bruyamment des nuages de vapeur qui ricochèrent le long du quai de la petite gare de Maisons-Laffitte. L'obscurité était déjà tombée, en cette nuit d'hiver. Une fois les rares passagers montés à bord des voitures, le quai se trouvait désert, balayé aux extrémités par une pluie battante.

Le chef de gare leva sa lanterne, et s'apprêtait à donner le signal du départ lorsque le cri du jeune commissionnaire qui lui prêtait main-forte l'interrompit :

– Monsieur Jourdan ! Venez voir !

Le gamin avait ouvert la portière d'un des compartiments de première classe, et contemplait atterré le spectacle à l'intérieur.

Émile Jourdan, sa lanterne à la main, le rejoignit à pas vifs, et demeura lui aussi pétrifié : entre les deux banquettes qui se faisaient face, un homme était étendu, mort de toute évidence, à en juger par la large plaie ensanglantée qu'il portait au front. Sur un des sièges, une poignée de journaux paraissait jetée en désordre, mais il n'y avait trace d'aucun bagage ni de chapeau.

– Va vite prévenir le brigadier ! intima le chef de gare au jeune commissionnaire.

Celui-ci ne se le fit pas dire deux fois et détala, enfourchant une bicyclette posée contre un mur.

Une fois la portière du compartiment soigneusement refermée pour dissimuler le corps aux regards, le chef de gare informa l'équipe de la locomotive, ainsi que les voyageurs, que le rapide de 18 h 53 à destination de Cherbourg, et passant par Mantes et Évreux, était retenu en gare de Maisons-Laffitte pour une durée indéterminée…

4

SUR LA SCÈNE
DU CRIME

– Mince, il est bien arrangé ! commenta le brigadier de gendarmerie Bellot, qui venait de grimper dans le compartiment. Vous n'avez touché à rien, hein ? demanda-t-il d'une voix grave au chef de gare qui, en dépit du froid, ne cessait de s'éponger le front de son mouchoir à carreaux.

– Absolument à rien ! jura Émile Jourdan.

❖ ❖ ❖

Un éclat métallique attira le regard du brigadier,
qui s'agenouilla.

❖ ❖ ❖

Le corps était celui d'un homme d'une bonne cinquantaine d'années, trapu, à la barbe et aux favoris noirs, et vêtu d'un pardessus noir à col de loutre. Il ne portait aucune autre blessure apparente que sa plaie à la tête, et ses vêtements ne paraissaient pas tellement en désordre. Le brigadier Bellot, écartant les pans du pardessus, trouva dans la poche intérieure de son costume un portefeuille qu'il examina rapidement. Rien ne semblait y manquer : deux billets de banque, deux ou trois lettres, une carte d'électeur, une carte de visite avec quelques mots griffonnés, ainsi qu'une carte de circulation des Chemins de fer de l'Ouest au nom de Joseph Lefaure, domicilié Villa Maud, avenue des Platanes, à Saint-Gratien.

Un éclat métallique attira le regard du brigadier, qui s'agenouilla. Une montre de gousset reposait sous l'un des pieds de la victime. Le cadran de l'objet avait été fêlé, probablement dans sa chute, mais pas suffisamment pour interrompre le mécanisme. Presque à quatre pattes, le brigadier en profita pour regarder attentivement sous les deux banquettes. Un objet avait roulé sous l'une d'entre elles : il s'agissait d'un flacon de verre blanc, portant une étiquette à l'inscription noire sur fond rouge : « Éther sulfurique[1]. »

– Vous allez le laisser là encore longtemps ? gémit le chef de gare.

– J'ai prévenu le parquet de Versailles, le juge d'instruction ne devrait pas tarder, accompagné d'un inspecteur et d'un médecin. En attendant, je vais interroger vos voyageurs, peut-être l'un d'entre eux a-t-il remarqué quelque chose… Par ailleurs, suggéra le brigadier au regard vif et à la moustache conquérante, nous sommes dans le dernier wagon, non ? Pourquoi ne pas le dételer et le placer ailleurs ? Ainsi, vous pourrez faire repartir votre train, et tout le monde travaillera tranquillement au relevé des traces…

---

1. *Nom donné à l'époque à l'éther car l'acide sulfurique était employé dans sa fabrication, et pour ne pas le confondre avec les autres éthers.*

PREMIÈRES
HYPOTHÈSES

Lorsque le juge d'instruction, l'honorable Octave Garnier, dérangé au beau milieu de son dîner mondain, fit son apparition accompagné de l'inspecteur de la Sûreté, Jules Machard, et du docteur Edmond Locard, le rapide était reparti, n'ayant finalement subi qu'un léger retard. Le wagon vide dans lequel reposait le cadavre les attendait sur une voie de garage. Les trois hommes étaient suivis de techniciens chargés de leurs mallettes et de leur matériel photographique. Ceux-ci entreprirent de prendre une série de clichés qui permettraient à l'Identité judiciaire d'établir des croquis planimétriques.

Encore une affaire délicate...
Que des ennuis en perspective, je le sens !

– Il n'y a aucun doute sur son identité, remarqua l'inspecteur.

Le jeune homme blond athlétique, aux traits fins ornés d'une courte moustache, coiffé d'un chapeau melon et vêtu d'un pardessus au col relevé, venait d'examiner de près le contenu du portefeuille de la victime.

– Il s'agit bien de Joseph Lefaure, secrétaire général de la préfecture de l'Eure. Il n'y a que cette carte de visite qui ne soit pas à son nom, ajouta-t-il en montrant le rectangle de carton, dont le recto portait un nom et une adresse gravés, ainsi que quelques mots manuscrits, une heure, semblait-il. Le juge d'instruction, un petit homme corpulent d'une cinquantaine d'années, un haut-de-forme

INDICE

I

perché sur son crâne rond, la mine grincheuse et la barbe taillée à l'impériale, marmonna :

— Encore une affaire délicate… Que des ennuis en perspective, je le sens ! Machard, prenez une voiture et rendez-vous au domicile de Lefaure, avec le brigadier et ses hommes. On peut supposer qu'il rentrait chez lui, prévenez là-bas, et procédez aux interrogatoires nécessaires. Ici, pendant ce temps, le docteur Locard va finir d'examiner le corps…

— Oh, *a priori*, rien de bien compliqué… remarqua celui-ci. La plaie qu'il porte à la tête semble constituer la cause du décès. La calotte crânienne est enfoncée. Nous verrons cela plus en détail à l'autopsie.

— Alors on l'a sans doute agressé pour le voler ? suggéra le juge d'instruction, l'air soulagé. Un malandrin quelconque, qui l'aura assommé après lui avoir administré de l'éther, et lui aura volé son bagage ?

— Sans lui prendre son portefeuille ?

— Il n'en aura probablement pas eu le temps.

Le docteur Locard eut un léger sourire. Le jeune praticien d'une trentaine d'années releva la longue mèche brune de sa chevelure un peu ondulée, qui lui balayait le front.

— Hypothèse plausible, pour l'instant. Nous avons réuni tous les indices ramassés sur les lieux, poursuivit-il à l'adresse de l'inspecteur – le flacon d'éther, les journaux, la montre de gousset, le portefeuille – et prélevé des traces éventuelles. Tout ceci sera à votre disposition au Laboratoire, une fois examiné.

L'inspecteur remercia avec enthousiasme. Le docteur Edmond Locard, qui venait de créer le premier laboratoire de police technique de France, promettait de devenir le digne émule d'Alphonse Bertillon, l'inventeur de l'anthropométrie judiciaire, récent système d'identification et de classification basé sur les mensurations humaines, et dont les succès avaient fait de l'Identité judiciaire un des services les plus remarqués dans la recherche des criminels. Le jeune inspecteur de la Sûreté se réjouissait de leur collaboration, ayant entendu parler des principes nouveaux et audacieux que professait Locard.

———◆◆◆———

Il n'était pas bien difficile de monter et de descendre

du compartiment à contresens...

———◆◆◆———

S'empressant de saisir la piste qui lui convenait particulièrement, le juge d'instruction se tourna vers les gendarmes :

– Ratissez les environs, et ramassez-moi tous les vagabonds qui traînent ! Nous trouverons bien quelque chose… Au fait, aucun des voyageurs n'a rien remarqué ?

– Non, fit le brigadier avec un signe de dénégation. Mais il n'était pas bien difficile de monter et de descendre du compartiment à contresens, par la porte latérale opposée, sans que personne ne s'aperçoive de quoi que ce soit. D'autant plus que seul le secrétaire Lefaure occupait le wagon…

UNE NOUVELLE
ÉNIGME

La pluie tombait sans discontinuer, s'écrasant avec fracas sur le pare-brise de l'automobile dans laquelle avaient pris place l'inspecteur Machard et le brigadier Bellot. Le véhicule progressait lentement, les essuie-glaces balayant à grand-peine les trombes d'eau.

– C'est là ! fit soudain l'inspecteur en désignant une grande maison bourgeoise en meulière ornée d'une tourelle qui se dressait au bout d'une allée derrière un imposant portail en fer forgé.

« Villa Maud », indiquait la plaque gravée apposée sur le haut mur de brique qui ceignait la propriété.

La voiture arrêtée le long du trottoir, les hommes constatèrent que le portail n'était pas verrouillé, et se précipitèrent en courant sous la pluie vers les marches qui menaient à la double porte d'entrée imposante, abritée par une marquise. La maison était plongée dans l'obscurité mais, après avoir actionné plusieurs fois la sonnette, martelé les battants, une lumière s'alluma enfin dans le vestibule.

Enveloppé dans une robe de chambre qu'il semblait avoir enfilé à la va-vite, un homme de haute stature à la chevelure blanche leur ouvrit, prêt à les agonir d'injures. Mais à la vue de l'uniforme des gendarmes, il demeura muet, bouche ouverte.

– Monsieur Lefaure ? demanda à dessein l'inspecteur.

– Monsieur est absent, leur annonça l'homme, qui devait être le maître d'hôtel. Il ne doit pas tarder à rentrer de Paris.

Machard lança un rapide coup d'œil au brigadier, et poursuivit :

– Vous êtes seul ? Qui d'autre occupe la maison ?

– Madame dort dans sa chambre, à l'étage. Enfin, je suppose, si votre raffut ne l'a pas réveillée ! souligna-t-il d'un ton acerbe.

– Montrez-moi le chemin, mon vieux, lui intima Jules Machard. Nous devons lui parler.

Ils s'engagèrent à la suite du domestique dans un monumental escalier de chêne sculpté, et atteignirent le palier du premier étage. L'homme frappa à la deuxième porte située dans le couloir qui s'ouvrait sur la droite de ce palier. Pas de réponse. Il haussa un sourcil, et appela :

– Madame, madame ! Il y a là la police, qui souhaiterait vous voir ?

_12_   Aucune réponse. L'inspecteur se pencha, appuya l'oreille contre le battant… puis se releva en lançant d'un ton vif :

– Écartez-vous !

D'un coup de pied, il envoya valser la porte, et se précipita à l'intérieur. Il régnait un froid glacial dans la grande chambre, dû à la fenêtre largement ouverte, dont les rideaux écartés volaient au vent. Non loin d'un impressionnant lit à baldaquin, une femme ligotée sur une chaise gémissait derrière l'écharpe qui la bâillonnait, les yeux exorbités.

– Bon Dieu !

L'inspecteur et le brigadier se précipitèrent. Après l'avoir débarrassée de ses liens et de son bâillon, ils allongèrent sur le lit, dont les couvertures avaient été repoussées, la femme à présent évanouie.

– C'est Mme Lefaure ? demanda l'inspecteur au maître d'hôtel, qui hocha la tête en signe d'assentiment, l'air épouvanté. Elle a une femme de chambre, quelque part ?

L'autre hocha de nouveau la tête.

– Eh bien, allez la chercher, mon vieux ! Qu'elle s'occupe de sa maîtresse, et fasse en sorte qu'elle retrouve ses esprits ! Ensuite, descendez avec nous, nous avons quelques informations à vous communiquer et des questions à vous poser.

Une femme ligotée sur une chaise gémissait derrière l'écharpe qui la bâillonnait, les yeux exorbités.

L'inspecteur apprit au maître d'hôtel, qui se nommait Louis Raimbault, que M. Joseph Lefaure avait été retrouvé dans le train qui le ramenait de Paris, assassiné. Savait-il ce que son maître allait faire à la capitale ? Le domestique haussa les épaules : Monsieur était parti ce matin en train, mais que ce soit pour ses affaires ou celles de la préfecture, il l'ignorait…

Une jeune femme apeurée, elle aussi en robe de chambre sur sa chemise de nuit, et qui ne devait guère avoir plus de dix-huit ans, sa longue chevelure blonde nouée en nattes, descendit les prévenir que Mme Lefaure, un peu remise, allait recevoir ces messieurs de la police dans sa chambre.

Marthe Lefaure était une belle femme d'âge mûr, aux cheveux bruns ramenés sur sa nuque pour la nuit. Redressée contre ses oreillers, les traits pâles et tirés, enveloppée d'un châle, elle serrait nerveusement entre ses mains un mouchoir brodé.

La femme de chambre avait refermé la fenêtre, et l'inspecteur remarqua qu'une large flaque d'eau inondait les lattes du parquet à l'aplomb des battants vitrés.

Le policier de la Sûreté se présenta, mais avant d'apprendre à Mme Lefaure le décès de son mari, il préféra l'interroger sur les circonstances de son agression.

Elle lui raconta que, sachant que son mari rentrerait tard de Paris, elle était montée se coucher aux alentours de vingt et une heures. Elle avait pris sa tisane, que lui avait montée Marie, la jeune femme de chambre, puis s'était endormie paisiblement après avoir lu quelques pages d'un roman entamé depuis peu. Elle avait été brutalement tirée du sommeil par une main gantée écrasée sur sa bouche pour l'empêcher de hurler… Un individu l'avait arrachée à son lit, bâillonnée à l'aide d'une écharpe, puis ligotée sur une chaise. Il était ensuite sorti par la porte de sa chambre, et il lui avait semblé l'entendre descendre l'escalier. Quelque temps plus tard, il était revenu dans la pièce, et avait disparu en enjambant la fenêtre. Éperdue de terreur, elle s'était évanouie…

L'inspecteur Machard, prenant bien soin de ne pas patauger dans l'eau, alla examiner la fenêtre. Il l'ouvrit et se penchant, découvrit immédiatement l'échelle appuyée à l'extérieur, contre le rebord. La nuit était trop profonde pour pouvoir distinguer quoi que ce soit en contrebas, à l'exception de la masse sombre des massifs de rhododendrons entourant la demeure.

– Il s'est introduit par là, sans aucun doute… La fenêtre n'était pas fermée ?

– Je l'avais mise à la crémone, pour avoir un peu d'air…

– Vous n'avez pas reconnu cet individu ? Rien dans son allure, ses vêtements, ne vous a frappé ?

– Il portait une cagoule et des gants, dit-elle d'une voix étouffée. C'est tout ce que j'ai pu entrevoir à la lueur de la bougie dont il se servait pour s'éclairer…

– Il vous a parlé, menacé ?

– Je n'ai pas entendu un mot sortir de sa bouche, fit-elle avec un frisson.

– Eh bien, nous allons fouiller la maison, voir si des objets de valeur ont disparu. Disposez-vous d'un coffre ?

– Il se trouve dans le bureau de mon mari, au rez-de-chaussée.

– À propos de votre mari…

Jules Machard regarda Mme Lefaure. La femme du secrétaire général de la préfecture avait retrouvé un peu de couleurs, et semblait petit à petit se remettre de son agression.

– Pardonnez-moi de devoir vous infliger une nouvelle épreuve, Madame, commença-t-il avec précaution… Croyez bien que j'aurais préféré m'en dispenser… Je suis au regret de vous annoncer que nous avons retrouvé le corps de votre mari dans le train qui le ramenait ici.

– Le… le corps de mon mari ? Comment cela ? Que voulez-vous dire ? balbutia-t-elle en ouvrant des yeux emplis d'effroi.

– Il a succombé à un coup violent porté à la tête. Il semble qu'il ait été attaqué entre son départ de Paris et la gare de Maisons-Laffitte.

– Attaqué ? Mon Dieu !

Marthe Lefaure retomba sur ses oreillers, plus livide que jamais.

– Et sa sacoche ? Elle a disparu ?

– Nous n'avons retrouvé aucun bagage près de lui, non plus que son chapeau. En revanche, il semble que l'on n'ait pas touché à son portefeuille ni à sa montre.

– Mon Dieu !

La veuve du secrétaire général de la préfecture éclata en sanglots incontrôlables, et il apparut rapidement à l'inspecteur qu'elle était hors d'état de subir un interrogatoire. La pauvre femme avait suffisamment souffert pour la soirée, il était préférable de ne pas insister pour l'instant.

Il redescendit et enjoignit à la femme de chambre, Marie, d'aller prendre soin de sa maîtresse, après avoir prévenu le médecin de famille, pour qu'il vienne administrer un calmant à celle-ci.

— ◆ ● ● ● ◆ —

Le bureau de Joseph Lefaure avait été fouillé
de fond en comble.

— ◆ ● ● ● ◆ —

Pendant qu'il s'était entretenu avec Mme Lefaure, les hommes du brigadier Bellot avaient exploré la Villa Maud. Au rez-de-chaussée, donnant sur le jardin, ils avaient découvert que le bureau de Joseph Lefaure avait été fouillé de fond en comble. Livres tirés des bibliothèques imposantes en acajou, papiers jetés à terre, objets renversés, tiroirs du secrétaire ouverts, tout avait été retourné. En revanche, le coffre dissimulé derrière un tableau semblait intact, sans aucune marque d'effraction. Le cambrioleur avait-il échoué à le fracturer ? Impossible à dire. Les gendarmes n'avaient trouvé trace de l'homme nulle part, bien entendu. Ils étaient sortis fouiller les abords de la maison, mais la pluie tombait toujours et, à la lueur des lanternes, ils n'avaient pu que constater qu'une échelle avait été dressée dans une plate-bande, sans rien pouvoir distinguer autour…

– Inutile d'insister, de toute façon, avec cette flotte… Nous reviendrons demain matin, avait conclu le brigadier Bellot.

Quant aux domestiques, tous deux dormaient dans leur chambre sous les combles, et ils juraient l'un et l'autre n'avoir rien entendu, jusqu'à l'arrivée de la police…

CHEZ LE JUGE
D'INSTRUCTION

Le lendemain matin, après une nouvelle visite à la Villa Maud, l'inspecteur Machard vint faire part de l'évolution de l'enquête au juge d'instruction.

Le temps était au beau, un radieux soleil d'hiver brillait, et les enquêteurs avaient pu effectuer le tour complet de la propriété. Le maître d'hôtel leur avait confirmé qu'il était dans les habitudes de la maison de laisser le portail ouvert, d'autant plus ce soir-là, où Monsieur devait rentrer de la gare à pied. Il avait préféré ne pas commander de voiture. Une porte dérobée sur le côté, dans le mur d'enceinte, permettait d'accéder plus facilement à l'entrée de service de la maison, mais aucune trace particulière n'avait été relevée par là... Il y avait au fond du jardin un appentis rempli d'outils où était normalement rangée l'échelle, avait confirmé le maître d'hôtel. Les techniciens n'avaient non plus relevé aucune empreinte, ni sur le coffre-fort du bureau ni sur la fenêtre de la chambre de la maîtresse de maison, ce qui n'était pas surprenant, Mme Lefaure ayant témoigné que l'homme portait des gants.

— En revanche, nous avons découvert au pied de l'échelle, dans la terre de la plate-bande, entre deux rhododendrons, l'empreinte d'une semelle bien distincte. Une semelle de chaussure d'homme. Les techniciens l'ont photographiée.

— Espérons que nous pourrons la confronter aux souliers d'un suspect quelconque !

— J'ai procédé à un nouvel interrogatoire de Marthe Lefaure. En dépit du fait qu'elle est très affectée...

II

INDICE

– On le serait à moins, non ? lança Octave Garnier en le foudroyant du regard. Non content d'avoir subi une infâme agression, cette pauvre femme apprend dans la même soirée le lâche assassinat de son mari !

Mme Lefaure, qui se remettait tant bien que mal de ses émotions, leur avait confié la raison du voyage de son mari à Paris : les élections approchaient dans son département, et le secrétaire général de la préfecture avait rendez-vous à son ministère pour rendre compte de la situation. On devait lui débloquer une somme de 30 000 francs, prélevée sur les fonds secrets, qu'il rapportait discrètement dans une sacoche de cuir à fermoir de cuivre emportée à cet effet.

– Je le savais ! gémit le juge. Le ministère va nous tomber dessus à cause de cet argent. Et les élections là-dessus ! C'est un coup à me ficher ma carrière en l'air !

Jules Machard dissimula un sourire dans sa moustache. Tout le monde savait que le juge Garnier accordait plus d'importance à l'entretien de ses relations dans la haute société qu'aux affaires criminelles.

– Et les domestiques ? Vous les avez interrogés, les domestiques ? Ces gens-là ont souvent de mauvaises fréquentations… La petite femme de chambre, là… Elle n'entretiendrait pas un jeune apache que le coffre-fort de Joseph Lefaure aurait pu tenter ?

Le jeune inspecteur étouffa une virulente protestation, et sentit qu'il devenait rouge de colère.

– Nous sommes en train de procéder à ce genre de vérifications, monsieur le juge, rassurez-vous… fit-il en enfonçant rageusement son melon sur son crâne. Il y a également une cuisinière, mais qui ne couche pas à la villa. Je vous tiendrai au courant, conclut-il en tournant les talons.

LES SURPRISES
DE L'AUTOPSIE

Les trois quarts de l'amphithéâtre de la faculté de médecine étaient plongés dans la pénombre. Toutefois, en contrebas des gradins de bois étroits et dépourvus de bancs, où l'assistance, lorsqu'il y en avait une, demeurait debout, une lampe à arc éclairait abondamment le corps allongé sur une table d'ardoise pivotante.

Lorsque l'inspecteur Machard le rejoignit, le docteur Locard achevait de procéder à l'autopsie, assisté d'un aide. Machard salua d'un signe de tête l'homme corpulent aux manches relevées sur des bras noueux, affublé d'un tablier ensanglanté et coiffé d'une casquette, qui rangeait soigneusement sur une table adjacente huit bocaux de verre contenant les échantillons des organes de la victime. Après les avoir fermés à l'aide de bouchons de liège puis recouverts de papier parchemin, il apposait un cachet sur chaque ficelle qui en retenait le col.

*Une lampe à arc éclairait abondamment le corps allongé
sur une table d'ardoise pivotante.*

– J'ai procédé à l'examen externe et interne, annonça Locard, tandis que l'inspecteur s'approchait, se retenant à grand-peine de se boucher le nez devant l'odeur insupportable. Nous avons pris ses mensurations, l'avons photographié, et la description de ses vêtements est consignée ici…

L'aide du docteur Locard tendit un formulaire soigneusement rempli à l'inspecteur, qui le passa en revue : *Taille : 1,65 m, Poids : 75 kg, dents en bon état… Caleçon, ceinture lombaire, souliers à lacets, costume gris fer avec gilet, col cassé, etc.*

– Une ceinture lombaire ?

– Oh, il souffrait probablement du dos…

Le légiste avait proprement déposé la calotte crânienne découpée à la scie, et l'enfoncement provoqué par le coup asséné à Joseph Lefaure se distinguait parfaitement.

– Quelle sorte d'arme a-t-on utilisée, à votre avis ? demanda l'inspecteur.

– Un instrument contondant, je verrais bien quelque chose comme un casse-tête…

– L'arme classique du cambrioleur… soupira l'inspecteur de la Sûreté. Autant chercher une aiguille dans une botte de foin.

– Sauf que… fit le docteur Locard en relevant la tête et en fixant Jules Machard. Sauf que notre secrétaire général de la préfecture de l'Eure n'est pas mort de ce coup à la tête.

L'inspecteur eut un haut-le-corps.

– Qu'est-ce que vous me chantez là ?

Locard soupira.

– Peut-être les traces étaient-elles déjà visibles lorsque j'ai examiné le corps sur place… À ma décharge, nous n'avons relevé aucune déjection, aucune trace de vomissement, et l'éclairage était bien faible. Pour distinguer ces nuances… Regardez, fit-il en se penchant. Les lèvres et la cavité buccale, ainsi que l'œsophage, présentent une couleur safran caractéristique de l'empoisonnement au laudanum[2].

L'inspecteur fronça les sourcils :

– Empoisonné ? Mais…

– Le coup reçu à la tête n'aurait pas suffi à le tuer, affirma le docteur Locard. Le laudanum, en revanche… Nous allons procéder à la recherche de la substance dans l'estomac et les intestins mais, à mon avis, c'est dans cette direction que vous devez orienter vos recherches…

– Bien, prévenez-moi dès que vous aurez confirmation.

---

2. *Puissant analgésique et somnifère préparé à base d'opium, extrêmement utilisé au XIXᵉ siècle où il était prescrit comme remède à un nombre incalculable de maux, depuis la migraine jusqu'à la tuberculose..*

Perplexe, le jeune inspecteur Jules Machard réfléchissait. Même si le docteur Locard avait raison et que Joseph Lefaure avait été empoisonné, il n'en demeurait pas moins que quelqu'un l'avait également agressé, lui assénant un coup sur la tête. S'agissait-il de la même personne ? « La main qui verse le poison est presque toujours celle d'une femme », leur avait seriné un de leurs professeurs, lors de ses études. En revanche, il ne voyait pas une femme attaquer le secrétaire de préfecture avec un casse-tête… Peut-être avait-elle un complice ?

Au départ du train de la gare Saint-Lazare, à Paris, personne n'avait rien remarqué. Le contrôleur ne se souvenait guère de Lefaure, et personne d'autre – homme, femme ou couple – n'avait particulièrement attiré son attention.

Et puis, que signifiait cette agression sur Mme Lefaure, le même soir, à la Villa Maud ? Que cherchait le cambrioleur dans le bureau du secrétaire de la préfecture ? Il lui paraissait impensable que les deux événements ne soient pas liés… Mais comment ?

UN PREMIER
SUSPECT

– Le voilà ! claironna le brigadier Bellot avec satisfaction tandis que deux gendarmes poussaient en avant dans le bureau du juge d'instruction un individu menotté, fort récalcitrant et repoussant de crasse, qui répandait une odeur caractéristique de vinasse.

Suivant les ordres du juge, les gendarmes avaient remué ciel et terre pour dénicher un vagabond propre à fournir le suspect idéal. Une bonne âme leur avait fourni un tuyau sur Alfred Fromentin, dit La Filoche, qu'on avait aux dernières nouvelles aperçu en possession d'une magnifique sacoche de cuir. L'homme avait été tiré d'une cahute en branchages aménagée tant bien que mal au fond d'un terrain vague, et la sacoche retrouvée dans un coin, à demi dissimulée sous des oripeaux déchirés. L'objet avait bien été identifié comme appartenant à Joseph Lefaure, grâce à une bande de tissu à son nom, cousue sur la doublure. Mais le bagage était vide.

Barbe et cheveux lui descendant quasiment jusqu'au ventre et aux reins, Fromentin, vêtu d'une cotte de velours crasseuse et chaussé de souliers éculés, mâchait sa chique avec application, dévoilant une rangée de dents pourries.

– Alors, mon vieux, où avez-vous trouvé cette sacoche ?

L'homme haussa les épaules. L'étincelle dans son regard démentait l'expression demeurée qu'il affichait.

– Su' l'ballast, l'long de la voie…

25

– Et qu'avez-vous fait de l'argent qu'elle contenait ?

Le vagabond écarquilla les yeux :

– Y avait rien d'dans !

– Vous vous fichez de moi ?

– J'vous jure, m'sieur le juge, y avait rien d'dedans, quand j'l'ai trouvée ! Elle était pleine de terre, comme si qu'on l'avait balancée du train, mais elle était vide !

– On l'a jetée du train, ça c'est sûr, et je parie que c'est votre complice qui vous l'a jetée, après avoir attaqué M. Lefaure !

Albert Fromentin se contenta de lui expédier
un jet de jus de chique sur les pieds.

– Qui c'est, Monsieur Lefaure ? rétorqua le vagabond d'un air nigaud.

– Le secrétaire général de la préfecture de l'Eure, que vous avez assassiné pour le voler !

– Jamais entendu parler de c't'homme-là ! grommela l'autre.

– Et votre autre complice ? Car c'est encore un autre complice, sans aucun doute, qui a attaqué Mme Lefaure ?

– Un autre complice ? M'sieur l'Juge, moi, j'm'y perds, dans tous ces bons-hommes…

L'inspecteur n'était pas loin de penser la même chose.

Mais quoi que le juge s'échinât à lui faire avouer, La Filoche n'en démordait point : il avait trouvé la sacoche vide le long de la voie, un point c'est tout.

– Il est dans votre intérêt d'avouer ! glapit le juge. Où avez-vous dissimulé l'argent ? Avouez, sinon, c'est vous qui allez payer pour tout le monde, j'y veillerai ! Avouez, bon sang !

En guise de repartie, Albert Fromentin se contenta de lui expédier un jet de jus de chique sur les pieds, manquant de peu l'extrémité soigneusement cirée des souliers du juge, qui blêmit.

– Emmenez-le ! Ôtez-le de ma vue ! trépigna Octave Garnier.

– Monsieur le juge… tenta d'intervenir Bellot.

– Foutez-le au trou !

Alors que les gendarmes emmenaient La Filoche en le soulevant par les aisselles, l'inspecteur souffla à l'oreille du brigadier :

– Et sur lui, vous n'avez rien trouvé ?

– Si, inspecteur, justement, je voulais le dire au juge, mais…

Il eut un geste d'impuissance, signifiant qu'il avait préféré renoncer.

– Qu'est-ce que c'est donc ?

Bellot sortit avec précaution de sa poche une enveloppe, dont il extrait un petit rectangle de papier imprimé, qu'il montra à l'inspecteur, prenant soin de ne pas appliquer ses doigts dessus :

– Un ticket de consigne de la gare Saint-Lazare ?

– C'était dans une de ses poches.

GARE SAINT-LAZARE

INDICE

III

– La Filoche a-t-il donné une explication sur la présence de ce ticket ?

– Vous plaisantez ? Figurez-vous qu'il n'a aucune idée de la façon dont ce truc a atterri là ! fit le brigadier, sarcastique.

– Vous croyez qu'il pourrait être complice de l'agresseur de Mme Lefaure ? Et si c'était lui ? hasarda l'inspecteur. Si l'empreinte de chaussure était la sienne ?

– Nous allons procéder à la comparaison par acquit de conscience, dit le brigadier, dubitatif, mais je ne vois pas comment il aurait pu franchir la distance entre Maisons-Laffitte et Saint-Gratien en aussi peu de temps !

– À moins qu'il n'ait utilisé une automobile ? Vous savez que c'est la grande mode chez les bandits ! Les Brigades mobiles se cassent les dents sur ce fameux Jules Bonnot, qui utilise sa De Dion-Bouton pour commettre ses méfaits…

– Vous pensez que La Filoche ferait partie d'une bande ? On va se renseigner, mais franchement, vous voyez ce type dans une auto ? fit le brigadier avec un hochement de tête en direction du vagabond. Et puis, il répand une telle odeur… Mme Lefaure s'en serait souvenue !

– En tout cas, confiez ce ticket au laboratoire du docteur Locard, qu'il effectue un relevé d'empreintes. S'il y trouve celles de Joseph Lefaure… eh bien, nous aurons encore quelques questions supplémentaires à nous poser, avant d'aller visiter la consigne de la gare Saint-Lazare ! remarqua l'inspecteur avec un soupir.

L'INSPECTEUR
RÉFLÉCHIT

Les services de l'Identité judiciaire avaient fourni à l'inspecteur les relevés planimétriques de la Villa Maud. Muni d'une loupe, celui-ci étudiait soigneusement la topographie des lieux. Un premier croquis indiquait l'emplacement de la Villa Maud par rapport à l'avenue des Platanes. Une rue perpendiculaire, plus étroite, baptisée allée des Mimosas, longeait le mur d'enceinte. Une automobile pilotée par un complice aurait-elle pu attendre à cet endroit le monte-en-l'air ? La porte d'accès discrète située dans le mur de ce côté ne semblait pas avoir été forcée. Cependant, un nouvel examen avait permis de retrouver à l'intérieur, au milieu des graviers, une allumette-bougie consumée. La pluie avait considérablement détrempé celle-ci, et il était impossible de savoir depuis quand la mèche pouvait se trouver là.

Sur le même document, un second relevé montrait la disposition des pièces du premier étage de la Villa Maud. Un cabinet de toilette séparait les deux chambres, celle de Madame et celle de Monsieur. Avec sa baignoire et son chauffe-bain, il affichait un confort tout à fait moderne. La chambre de Madame abritait un lit à baldaquin, une armoire à glace, une commode de toilette ainsi qu'une table de nuit. Celle de Monsieur, plus spartiate, ne comptait qu'une armoire simple et une table de nuit, en sus du lit.

Grâce à ces relevés, l'inspecteur pouvait retracer l'itinéraire du cambrioleur, depuis la fenêtre jusqu'à l'escalier, puis, au rez-de-chaussée, jusqu'au bureau de Joseph Lefaure, dans lequel un secrétaire à rouleau était disposé contre un mur. Sur la cloison opposée, un portrait de Marthe Lefaure, une huile de facture très

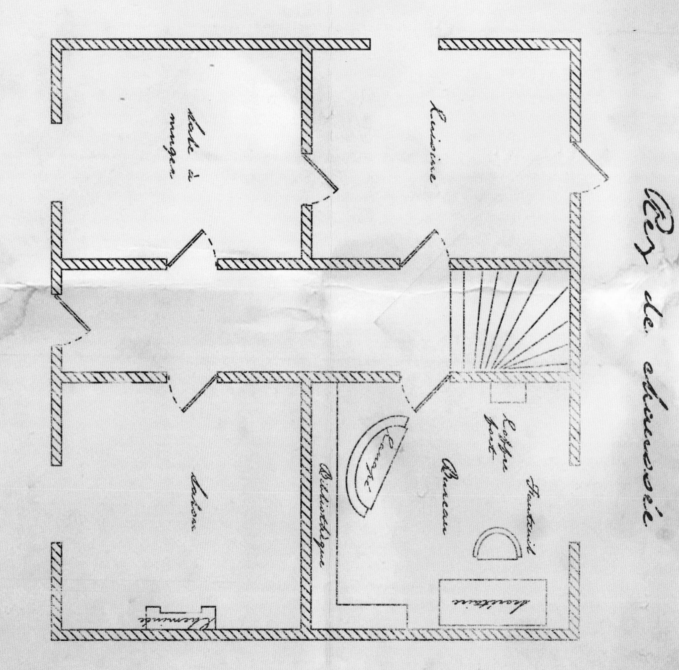

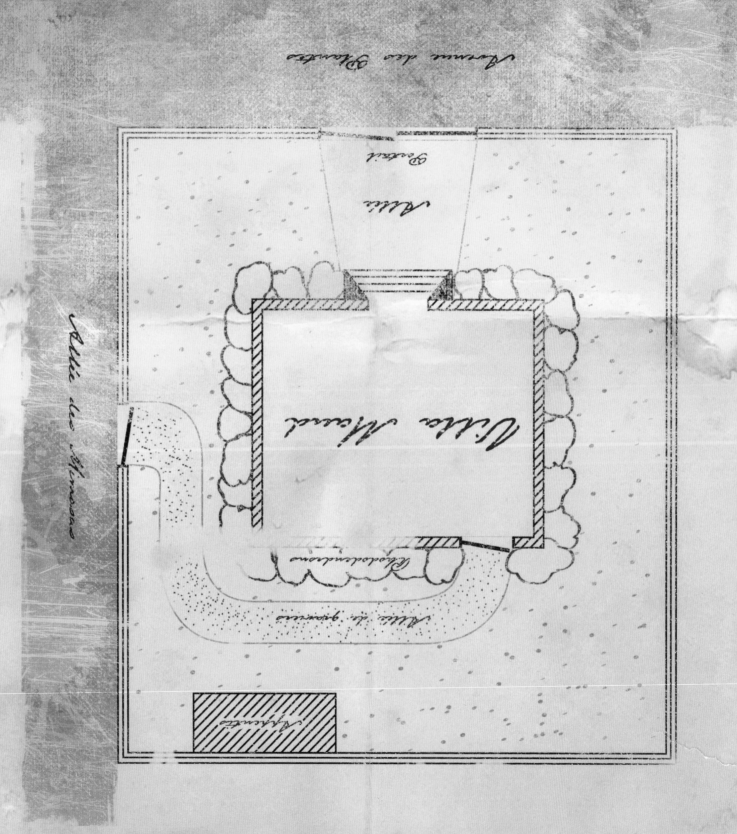

classique, dissimulait aux regards le coffre-fort installé dans le mur. Mais une fois le bureau fouillé, qu'il ait trouvé ou non ce qu'il cherchait – à moins qu'il ne s'agisse que d'un simple cambriolage, ce dont doutait fortement l'inspecteur –, pourquoi l'homme n'était-il pas simplement reparti par la fenêtre du bureau ? Celle-ci s'ouvrait très facilement, et il lui aurait suffi de sauter un mètre plus bas dans la plate-bande… À moins qu'il n'ait dû récupérer quelque chose à l'étage ?

Les domestiques dormaient au second. Était-il plausible qu'aucun des deux n'ait rien entendu, ni de l'agression de Marthe Lefaure ni de la fouille du bureau ? En dépit de son irritation devant les préjugés du juge d'instruction, l'inspecteur savait que les relations de la domesticité n'étaient pas à négliger. Des paroles saisies au vol derrière une porte, une indiscrétion, et une information qui aurait dû demeurer confidentielle parvenait aux oreilles d'un individu mal intentionné… Les enquêteurs effectuaient un travail de fourmi, interrogeant tous ceux qui, de près ou de loin, avaient pu approcher les membres de la maisonnée, mais pour l'instant, le maître d'hôtel comme la cuisinière et la femme de chambre paraissaient blancs comme neige. Même si Louis Raimbault, le maître d'hôtel, ne débordait pas de considération pour son employeur, il semblait honnête. Au service des Lefaure depuis quinze ans, ceux-ci n'avaient jamais eu à s'en plaindre, de toute évidence. Aucun bruit n'avait jamais couru sur son compte, et il n'avait jamais été inquiété pour quoi que ce soit… De même pour la jeune femme de chambre, Marie, dont c'était la première place, et qui était toute dévouée à Madame, comme le confirmait la cuisinière. Celle-ci, qui résidait dans le bourg voisin, était également au service des Lefaure depuis de nombreuses années, et n'avait jamais posé aucun problème. Elle avait bien un fils qui avait eu maille à partir avec les gendarmes, mais il était parti s'installer dans le Sud depuis longtemps et, apparemment, la mère et le fils n'entretenaient guère de relations.

INDICE

IV

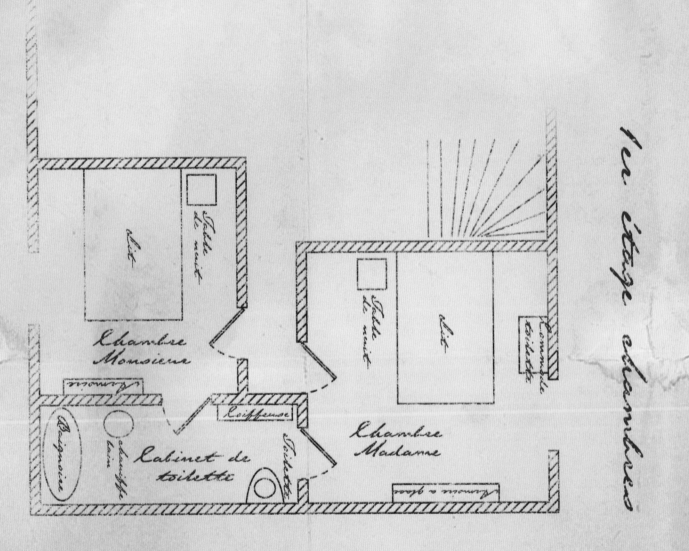

1er étage chambres

Salle de nuit

lit

Chambre
Monsieur

Armoire

Baignoire

Cabinet de
toilette

Coiffeuse

Salle de nuit

lit

Commode toilette

Chambre
Madame

Armoire à glace

LE TÉMOIGNAGE DE
MME LEFAURE

– À votre avis, que cherchait l'homme qui s'est introduit dans la demeure ?

Marthe Lefaure, fort élégante dans une robe d'après-midi en foulard sergé bleu marine, répondait aux questions de l'inspecteur dans le salon de la Villa Maud, installée sur un confortable fauteuil à oreillettes. Sans doute n'avait-elle pas encore eu le temps de se faire confectionner une tenue de deuil. Marie, la jeune femme de chambre, était venue leur servir un café, toujours aussi timide. Après avoir jeté un bref regard à l'inspecteur, que celui-ci lui avait rendu avec un léger sourire, elle avait promptement baissé les yeux en rougissant. Jules Machard, son calepin sur les genoux, avait repris ses notes.

Qui d'autre savait qu'il devait revenir

avec une telle somme dans son bagage ?

– Je l'ignore, répondit Marthe Lefaure avec un soupir. À ma connaissance, mon mari ne conservait dans son secrétaire aucun document précieux ou, en tout cas, en rapport avec les affaires de la préfecture ou du département. Même le coffre-fort ne servait qu'à y serrer quelques bijoux et un peu d'argent.

– Mais l'homme n'a pas accédé au coffre… remarqua Jules Machard.

La veuve de Joseph Lefaure haussa les épaules.

– Ce n'est sans doute pas faute d'avoir essayé !

L'inspecteur se fit la réflexion que, pourtant, la porte du coffre ne portait aucune trace ni griffure… Le cambrioleur ne s'était-il donc muni d'aucun outil ?

– À qui votre mari avait-il confié l'objet de sa visite à Paris ?

– Eh bien… à moi, mais…

Une circulaire du préfet de police Lépine
avait pourtant encore très récemment insisté
sur la nécessité de la préservation des traces…

Elle s'interrompit, semblant hésiter à comprendre ce que voulait dire l'inspecteur. Celui-ci se fit plus clair :

– Qui d'autre savait qu'il devait revenir avec une telle somme dans son bagage ?

– Mais, mais… personne ! balbutia-t-elle.

– Vous en êtes certaine ?

Elle parut se troubler, mais se reprit :

– Non… non, je ne… Personne ! Pour ce qui est de mon mari, ajouta-t-elle avec précipitation, j'ignore à qui il a pu se confier à la préfecture, mais je suis bien certaine qu'il avait pris toutes les précautions nécessaires !

– Avait-il coutume d'utiliser du laudanum ?

La surprise se peignit sur les traits de Mme Lefaure.

– Du laudanum ?

– Pour dormir ou soulager des douleurs ? suggéra l'inspecteur.

– Non, assura-t-elle. Mon époux était de constitution fort saine, et n'éprouvait aucune difficulté à dormir.

– Vous non plus ?

– Mon médecin a pu m'en prescrire à l'occasion, il y a des années de cela, ajouta-t-elle en fronçant les sourcils pour remonter dans ses souvenirs, mais je n'en utilise plus du tout.

– Il n'y en a donc nulle part dans la maison ?

– Je ne pense pas. Interrogez les domestiques. Peut-être Louis s'en sert-il, ou bien… Marie ? ajouta-t-elle avec une hésitation en rougissant.

L'inspecteur hocha la tête d'un air entendu, lui évitant de fournir d'autres explications. Il savait que les femmes souffrant de crampes menstruelles utilisaient souvent le laudanum pour calmer leurs douleurs.

– Je verrai avec eux. Changeant de sujet, il demanda : Pardonnez-moi de raviver des souvenirs pénibles, mais… savez-vous où ont été rangées la corde qui a servi à vous ligoter, ainsi que l'écharpe avec laquelle vous avez été bâillonnée ?

– Ma foi, je l'ignore… je pensais que les gendarmes les avaient emmenées. En tout cas, je ne les ai point revues.

L'inspecteur pesta intérieurement. Il semblait que personne, gendarmes ou autres, n'avait songé à ramasser ces objets, pièces à conviction s'il en était, et donc encore moins à les examiner ! Une circulaire du préfet de police Lépine avait pourtant encore très récemment insisté sur la nécessité de la préservation des traces… Le brigadier Bellot ne paraissait pas trop manchot, mais occupé dans le reste de la villa avec ses hommes, il avait négligé les instruments de l'agression de Marthe Lefaure.

Descendu à la cuisine, l'inspecteur y trouva le maître d'hôtel et la femme de chambre, et fit la connaissance de la cuisinière, une bonne grosse femme au teint rougeaud et aux mains comme des battoirs. Il demanda aux uns et aux autres s'ils savaient ce qu'étaient devenus la corde et le bâillon qui avaient servi dans l'agression de leur maîtresse.

– Oh, ben, j'les ai j'tés dans le feu, des horreurs pareilles ! annonça avec satisfaction la cuisinière.

– Quelqu'un vous l'a demandé ?

Elle le regarda sans comprendre :

– Me d'mander quoi ?

– De vous en débarrasser ?

– Ah ben, par Dieu, j'avais besoin de personne pour savoir que Madame voulait sûrement pas les r'voir ! protesta-t-elle vigoureusement.

Jules Machard soupira.

Décidément, tout le monde s'acharnait à lui compliquer la tâche.

LE LABORATOIRE
DU DOCTEUR LOCARD

L'inspecteur s'arrêta sur le palier du troisième étage, et reprit son souffle en s'accrochant à la rampe. Le jeune homme était pourtant en pleine forme physique, mais les marches de l'escalier en spirale qui menait aux locaux du laboratoire de police scientifique au cinquième étage, sous les combles du Palais de justice, étaient étroites et glissantes. Il avait reçu un message du docteur Locard, lui annonçant que celui-ci avait des résultats à lui communiquer, et venait donc visiter pour la première fois ce fameux Laboratoire.

Il atteignit enfin sa destination. Une fois la porte franchie, il découvrit une grande salle mansardée et nue, tout en longueur, au fond de laquelle chauffait un poêle à charbon.

– Ah, inspecteur ! Venez, n'ayez pas peur de pénétrer dans notre antre !

Le docteur Edmond Locard lui présenta ses deux aides, un gardien de la paix et un garde champêtre.

– Nous ne sommes pas très nombreux… pour l'instant ! souligna-t-il avec humour. Tenez, j'ai examiné les divers objets trouvés dans le compartiment, dit-il en désignant successivement les indices posés sur une longue table.

– Des résultats ? demanda l'inspecteur avec une nuance d'espoir dans la voix.

Mais la grimace du docteur Locard ne fut pas pour le rassurer.

– Les journaux sont datés du matin, expliqua celui-ci, on peut supposer que le secrétaire Lefaure se les est procurés à Paris, sans doute à la gare Saint-Lazare. Ils ont été largement manipulés, et ne nous apprendront pas grand-chose… Idem pour la montre de gousset. Rien de spécial, aucune trace particulière, aucune fibre, cheveu ou poil. Non plus que sur le portefeuille, d'ailleurs, que je vous rends. À vous de voir si ce qu'il contient peut vous être de quelque utilité. Sur tous ces objets, nous avons relevé un certain nombre d'empreintes… La plupart appartiennent à la victime, nous comparerons les autres avec celles des suspects que vous nous présenterez ! Enfin, dernier indice, conclut-il en soulevant le flacon, un doigt glissé dans le goulot, un doigt sous le fond. De l'éther sulfurique, assez facile à se procurer. On peut pour l'instant supposer qu'il a servi à endormir Lefaure avant de le frapper. Mais ici, rien, aucune empreinte… Nous l'avons coloré avec la céruse, avant de passer le blaireau, mais rien de rien ! L'individu portait des gants, à n'en pas douter. Évidemment, le bilan est maigre, mais rassurez-vous, nous trouverons ! fit-il devant le soupir de découragement

de Jules.

– Comment pouvez-vous en être aussi sûr ?

– Eh bien, mon jeune ami, répondit Edmond Locard, qui n'était pourtant guère beaucoup plus âgé que l'inspecteur, parce que je suis convaincu que tout auteur d'un crime laisse obligatoirement sur les lieux de son forfait des témoins matériels de sa présence, et emporte avec lui des éléments de ce milieu. C'est la raison pour laquelle j'ai créé ce laboratoire de police technique ! ajouta-t-il en désignant les lieux d'un large geste du bras.

Jules Machard faillit lui rétorquer qu'il ne voyait pas là grand-chose de plus qu'un pauvre microscope et un bec Bunsen sur des tables de bois nu, mais se retint.

– Nous devons nous consacrer, non plus uniquement à la médecine légale et à la chimie, mais à l'examen approfondi des traces…

L'inspecteur interrompit ce qui paraissait le début d'une longue démonstration :

– Avez-vous reçu les résultats concernant le laudanum ?

– Pas encore. Le docteur Fontan procède à l'analyse chimique. Ce qui est important, c'est de savoir quelle quantité a pu absorber le secrétaire. À la vérité, expliqua le docteur Locard, il existe deux préparations portant le nom de laudanum. L'une, le laudanum de Sydenham, n'est autre qu'un vin d'opium préparé avec du vin d'Espagne, du safran, de la cannelle et des clous de girofle. Vingt gouttes de cette substance équivalent à environ un grain d'opium. Le laudanum de Rousseau, quant à lui, est un hydromel qui se prépare en laissant fermenter pendant un mois environ une forte solution d'opium, mêlée à du miel et de l'eau. Cette préparation-là est beaucoup plus narcotique : sept gouttes équivalent à un grain d'opium. Les effets toxiques sont à peu près les mêmes dans les deux cas : engourdissement, somnolence, vertiges. Et il n'existe pour l'empoisonnement par l'opium aucun contrepoison connu, aucune substance capable de le neutraliser !

– Aurait-on pu le lui faire absorber à son insu ?

Locard réfléchit :

– À mon avis, oui… Dans du vin, du café…

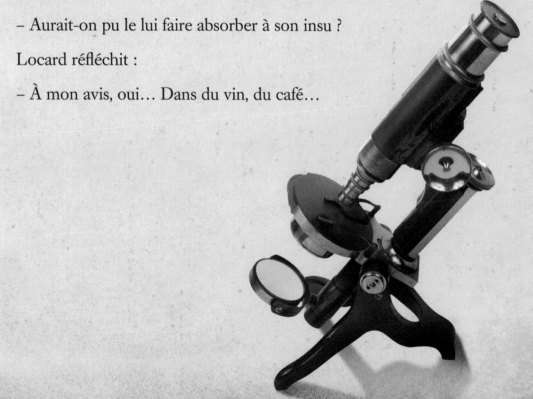

– Mme Lefaure assure que son mari ne prenait pas de laudanum, et nous n'avons trouvé trace d'aucun flacon à la Villa Maud. À votre avis, combien de temps avant l'agression a-t-on pu lui administrer cette substance ?

Le médecin haussa les épaules :

– Tout dépend de la dose qu'on lui a fait absorber. La drogue a dû faire effet assez rapidement… Sans doute a-t-il commencé à ressentir des vertiges, une pesanteur, sans comprendre ce qui lui arrivait.

– Mais pouvait-on calculer qu'il s'effondrerait dans le train, par exemple ?

Locard hésita :

– C'est bien là tout le problème… Si l'assassin voulait s'assurer qu'il soit hors d'état de se défendre une fois dans son compartiment, il a dû lui administrer une dose suffisamment forte relativement peu de temps avant le départ du train. Ce qui signifierait que Lefaure était accompagné de quelqu'un dont il a accepté un breuvage quelconque…

– Et si on lui a fait ingurgiter du laudanum, pourquoi lui faire aussi respirer de l'éther sulfurique ?

Locard haussa les épaules, et suggéra :

– Deux précautions valent mieux qu'une ?

UNE MALLETTE
BIEN REMPLIE

Une file d'une dizaine de personnes patientait pour faire enregistrer ses bagages derrière le large comptoir de bois de la consigne de la gare Saint-Lazare. Le préposé, engoncé dans un costume qui semblait prêt à craquer aux coutures au moindre geste, coiffé d'une large casquette, prenait son temps pour remplir les étiquettes qu'il fixait ensuite aux divers objets, avant de venir compléter un registre grand ouvert sur un pupitre, sur lequel il inscrivait l'identité du client et la nature du paquet. Ensuite, il daignait délivrer un ticket déchiré d'un carnet à souche. L'inspecteur, accompagné de deux hommes, hésita sur la conduite à tenir, puis décida qu'il n'avait pas de temps à perdre. Ils écartèrent quelques voyageurs, qui protestèrent vigoureusement.

– Non mais, vous vous fichez du monde, vous ! s'exclama un grand gaillard excité en saisissant l'inspecteur par le bras.

La vue de la carte de la Sûreté brandie par Jules Machard lui fit promptement retirer sa main.

– C'est-y la malle à Gouffé qu'vous cherchez ? lança une voix sarcastique. Y a longtemps qu'elle est plus là !

Plusieurs voyageurs éclatèrent de rire, devant l'allusion à l'affaire criminelle qui avait défrayé la chronique il y avait presque deux décennies, et dans laquelle la fameuse « malle sanglante » qui avait servi à abriter le corps de Gouffé, l'huissier assassiné, expédiée par chemin de fer jusqu'à Lyon, avait été exposée dans le hall de la morgue, donnant même lieu à la vente de malles miniatures en guise de souvenirs !

D'un regard sévère sous le rebord de son melon, l'inspecteur fit taire les rieurs, et seuls quelques grommellements s'élevèrent encore.

– Nous n'en avons pas pour longtemps… Vous, fit-il en se tournant vers le préposé, le ticket de consigne à la main, allez me chercher l'objet qui a été déposé en échange de ceci.

Le laboratoire de police technique avait déterminé que le ticket ne portait pas d'empreintes particulières, en tout cas pas celles du secrétaire général de la préfecture de l'Eure.

──◆◆◆──

Je parierais bien qu'il y a là-dedans 30 000 francs…

──◆◆◆──

Sans un mot, l'homme s'éloigna dans l'une des rangées de meubles s'alignant derrière lui, où des étagères de bois supportaient jusqu'au plafond des centaines de paquets ficelés et emballés de papier journal, de valises, de malles, d'objets divers, bicyclettes, guitares ou chevaux de bois…

Il revint avec une mallette de cuir à coins carrés, de petites dimensions, qu'il posa devant Jules Machard. Celui-ci actionna avec précaution de ses mains gantées les deux serrures métalliques, puis souleva le couvercle : à l'intérieur reposaient plusieurs liasses de billets, soigneusement alignées. L'inspecteur lança un regard de connivence aux enquêteurs qui l'accompagnaient.

– Je parierais bien qu'il y a là-dedans 30 000 francs…

– Mince alors ! souffla le responsable de la consigne. Si j'avais su…

– Et quoi donc, si vous aviez su ? lui lança Machard d'un ton mordant.

– Rien, rien du tout ! se défendit l'autre précipitamment.

Date	Nom	Objet	N°
22 Janvier	Valay René	Sac de voyage cuir à lanières	1426
	Vuillemin Marie	Malle de voyage cuir noir	1427
	Gagie Jules	Sac de voyages cuir à lanières	1428
	Callemin Raymond	Malle toilée grandes dimensions	1429
	Caroug Edouard	Malle de voyage carrée	1430
	Pancrazi Jean-Baptiste	Sac de voyage cuir à lanières	1431
	Clément André	Mallette cuir petites dimensions (pas d'initiales, pas d'étiquette)	1432
	Kayser Louise	Petit nécessaire de voyage cuir marron	1433
	Mallet Joseph	Malle à linge en osier, étiquette	1434
	Boyer Jean	Malle à chapeau, initiales	1435
	Sabot Alphonse	Valise cuir marron 50 cm	1436
	Mattiejean Henriette	Grand sac de voyage cuir marron	1437
	Rodriguez Léon	Sacoche médecin toilée	1438
	Dubois Jean	Malle métal peinte, cadenassée	1439
	Monier Hubert	Valise cuir noire petites dimensions	1440

– Vous me rassurez ! Vous vous souvenez de la personne qui a déposé cette mallette ?

L'homme ouvrit de grands yeux.

– Vous rigolez ? Vous avez vu ça ? lança-t-il avec un grand geste en désignant les rangées de casiers derrière lui. Il faut que je leur flanque une étiquette à chaque fois, que je remplisse le registre…

– Un homme de 1,65 m, 75 kg, la cinquantaine, cheveux et barbe noirs, vêtu d'une pelisse à col de loutre ?

– Un peu comme votre collègue, quoi ? rétorqua l'autre en pointant du doigt l'un des policiers qui accompagnait l'inspecteur.

Machard se retourna, interloqué.

44   Il était vrai qu'à l'exception de la pelisse, la description pouvait s'appliquer à son acolyte, ainsi qu'à un nombre non négligeable d'individus dans la foule qui se pressait au sein de la gare Saint-Lazare.

– Non mais, râla le responsable de la consigne, vous imaginez le peuple que je vois défiler ? Les femmes, encore, je dis pas, y en a que j'remarque… Mais les hommes ! Jeunes, vieux, barbus, moustachus…

– Passez-moi votre registre ! intima l'inspecteur avec impatience.

Il posa le grand cahier relié de toile noire sur le comptoir, et trouva rapidement la page correspondant au numéro du ticket récupéré. En face de celui-ci, un simple descriptif : une mallette de cuir de petite dimension (pas d'initiales, pas d'étiquette). Le nom qui avait été inscrit était : André Clément.

D'un geste vif, l'inspecteur ramassa la règle du préposé, l'appliqua à la pliure du registre, puis déchira la page, qu'il plia ensuite soigneusement en quatre.

– Hé ! protesta l'employé, vous êtes malade ! Comment je fais, moi, maintenant ?

– Ceci est une pièce à conviction, dans une enquête pour meurtre, asséna l'inspecteur Machard. L'un de mes hommes va la recopier, et vous la rapportera.

L'homme bougonna dans sa moustache, tandis que l'inspecteur s'emparait de la mallette, et tournait les talons en concluant :

– Portons tout ça au laboratoire du docteur Locard.

Brasserie Fleury

Mercredi 22 janvier

Entrées

Bouchées de volaille,
Œufs à la tripe

Plats

Gibelotte de lapin
Paupiettes de veau

Desserts

Bouchées glacées à la vanille
Gâteau de semoule

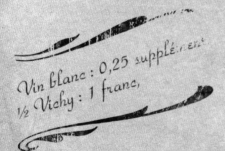

Vin blanc : 0,25 supplément
½ Vichy : 1 franc

UN CONTENU
INTÉRESSANT

– Mais… mais, c'est un menu ? remarqua à voix haute l'inspecteur, intrigué.

Il déplia la petite feuille. Sans doute parce qu'elle était glissée dans une lettre dont le contenu, un mot de remerciement, n'offrait aucune piste, on l'avait de prime abord négligée, sans l'identifier vraiment.

Billets de banque, carte d'électeur,

carte de chemin de fer, etc.

Maintenant que le laboratoire de police technique avait relevé tout ce qui pourrait peut-être servir ultérieurement, Jules Machard avait consciencieusement vidé le portefeuille de Lefaure, étalant le contenu devant lui sur le bureau. Une fois écartées les pièces relativement banales – billets de banque, carte d'électeur, carte de chemin de fer, etc. –, deux éléments semblaient susceptibles de fournir des renseignements : la carte de visite repérée à la découverte du corps, et maintenant, ce menu… Il s'agissait d'une de ces feuilles de dimensions réduites, que l'on glissait dans un présentoir en métal, sur les tables de restaurant. Y figuraient l'entête de la *Brasserie Fleury*, la date, *mercredi 22 janvier*, et la liste des plats du jour. L'inspecteur connaissait de réputation cette grande brasserie situé devant la gare Saint-Lazare. La date correspondait à la visite de Joseph Lefaure à Paris. De là à en conclure qu'il y avait déjeuné avant d'aller reprendre son train… Était-il seul ? Et pourquoi avait-il conservé ce menu ?

Machard retourna le rectangle de papier, sans y trouver aucune indication supplémentaire.

Il passa ensuite à la carte de visite. La gravure indiquait : *Alphonse Lecocq, député*, suivi d'une adresse, *75 boulevard Malesherbes*. Quelqu'un avait griffonné dans un coin, au crayon : *Quinze heures*.

Le nom d'Alphonse Lecocq n'était pas inconnu à l'inspecteur, mais impossible de se souvenir à quelle occasion il l'avait rencontré. Avant de se rendre au ministère, où il devait interroger le fonctionnaire que Joseph Lefaure avait rencontré le jour de sa visite à Paris, il allait se renseigner sur ce député…

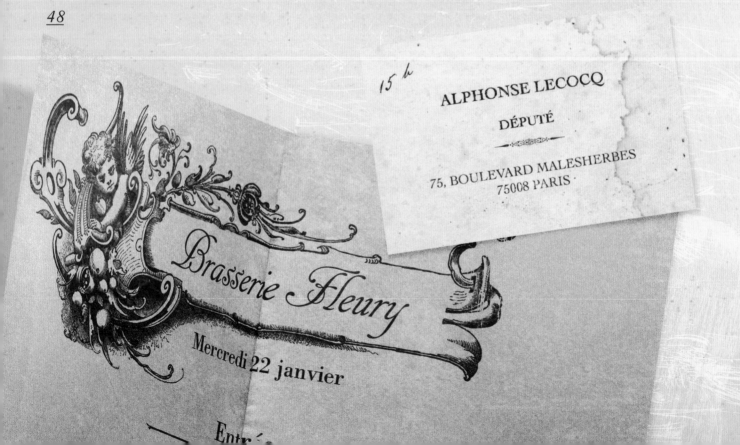

15 h

ALPHONSE LECOCQ

DÉPUTÉ

75, BOULEVARD MALESHERBES
75008 PARIS

Brasserie Fleury

Mercredi 22 janvier

Entré

DANS LES SECRETS
DU MINISTÈRE

Un huissier auprès de qui il s'était annoncé l'introduisit dans le bureau du sous-directeur à la direction financière du ministère. Un grand homme en redingote, auquel son col cassé et sa barbe poivre et sel conféraient beaucoup d'allure, se leva de derrière son bureau, et lui indiqua d'un geste le siège placé devant.

– Inspecteur, que puis-je pour vous ? demanda le fonctionnaire avec une ombre de méfiance dans la voix.

– Je crois que c'est avec vous que M. Lefaure, le secrétaire général de la préfecture de l'Eure, avait rendez-vous le mercredi 22 janvier ?

– Tout à fait, répondit l'autre brièvement.

– C'est donc vous qui lui avez remis la somme de 30 000 francs qu'il était venue chercher et qui a disparu ?

Le sous-directeur se contenta d'un hochement de tête en guise de réponse.

– Comment l'a-t-il emportée ?

Le froncement de sourcils de son interlocuteur lui fit préciser :

– Il avait avec lui une serviette, une mallette… ?

– Ah ! Il a placé l'argent dans une petite mallette de cuir carrée… comme les fois précédentes.

– Pouvez-vous m'expliquer la « procédure » dans ce genre de circonstances ? Je veux dire… qui est au courant, qui retire l'argent, etc. ?

– Eh bien, lorsque le représentant d'un département nous informe que l'organisation des élections, par exemple, requiert des fonds supplémentaires, je prends note de la somme demandée sur un carnet de comptes… qui ne me quitte jamais ! s'empressa-t-il d'ajouter. Je retire personnellement la somme du coffre que vous voyez là, fit-il en indiquant un coffre-fort imposant encastré dans un des murs de son bureau, et dont les clés ne me quittent jamais non plus !

– Vous êtes le seul à savoir ce que viennent chercher vos visiteurs ?

Il s'agit de pièces à conviction qui demeureront

sous la garde de la Sûreté.

Le sous-directeur haussa les épaules.

– On peut dire que personne ne sait rien, mais que tout le monde s'en doute.

– Vous étiez donc le seul à connaître le montant de la somme retirée par Joseph Lefaure ?

L'autre faillit s'étouffer d'indignation :

– Me soupçonneriez-vous ?

– Non, non ! s'empressa l'inspecteur. Jamais de la vie !

Le sous-directeur aux affaires financières pratiquait ce genre d'opérations depuis bien longtemps, sans que le moindre soupçon ait jamais pesé sur lui. L'inspecteur de la Sûreté s'imaginait mal qu'il se soit mis en tête d'aller assassiner Joseph Lefaure de façon aussi alambiquée. Le coffre-fort contenait probablement des sommes bien plus conséquentes et, s'il lui en avait pris l'envie, il lui aurait sans doute été beaucoup plus facile de se servir directement.

– D'ailleurs, ajouta l'inspecteur, l'objet de ma visite est également de vous informer que nous avons retrouvé les 30 000 francs !

– Vraiment ? s'exclama le fonctionnaire, dont le visage s'éclaira subitement.

– À la consigne de la gare Saint-Lazare, dans une mallette qui ressemble fort à celle que vous m'avez décrite.

– Et qui donc l'a déposée là ?

Jules Machard haussa les épaules.

– Nous ignorons pour l'instant s'il s'agit du secrétaire Lefaure, de son assassin… ou de quelqu'un d'autre.

Le sous-directeur se pencha, une expression d'inquiétude sur le visage :

– Et quand pourrai-je récupérer cet argent ?

Les 30 000 francs semblaient le préoccuper bien davantage que le triste sort de Joseph Lefaure, pour lequel il n'avait pas eu la moindre parole depuis l'arrivée de l'inspecteur. Tout comme le juge Garnier, il se fichait pas mal du secrétaire général de la préfecture…

– La mallette et les billets sont entre les mains du laboratoire de police technique du docteur Locard et, jusqu'à l'issue de cette affaire – si tant est que nous en trouvions une ! –, il s'agit de pièces à conviction qui demeureront sous la garde de la Sûreté.

Une expression chagrinée se peignit sur le visage du sous-directeur, mais il n'insista pas.

L'inspecteur prit congé, et allait quitter le bureau lorsqu'il se retourna :

– J'ai oublié de vous poser une question… Joseph Lefaure détenait dans son portefeuille la carte de visite du député Alphonse Lecocq. Auriez-vous, par hasard, une idée des relations qu'ils pouvaient entretenir ?

✦ ◆ ◆ ✦

Et la rumeur veut que Lefaure aurait eu
des problèmes d'argent.

✦ ◆ ◆ ✦

Le fonctionnaire esquissa une grimace :

– La carte d'Alphonse Lecocq ? Ma foi, voilà qui ne m'étonne pas…

– Pourquoi cela ? Il est également sous-secrétaire d'État aux finances, n'est-ce pas ? demanda Machard.

C'était le seul renseignement qu'il avait pu glaner auprès de ses collègues.

– Oui, enfin… disons plutôt que ce monsieur s'est fait une spécialité d'user de son influence dans de multiples domaines…

L'inspecteur haussa les sourcils. Pour que ce sous-directeur, qui paraissait un homme prudent, s'aventure à lui en confier autant, c'est que la chose était de notoriété publique, en tout cas au sein de l'administration.

– Vous semblez laisser entendre que ses activités ont… pignon sur rue ? suggéra l'inspecteur, cherchant à en apprendre davantage. Vous savez où je puis le joindre ?

– Oh, ce n'est pas difficile, vous le trouverez à l'Élysée.

Jules Machard exprima sa surprise.

– Tout à fait, renchérit le sous-directeur d'un ton sarcastique. Ce monsieur a plus que ses entrées là-bas… Il est très proche du Président.

– Et quels auraient pu être ses liens avec Lefaure ?

– Eh bien, un secrétaire général de préfecture est toujours au courant de beaucoup de choses… Qui investit dans quoi… Qui aimerait recevoir une petite décoration, en échange de quelques services… Et la rumeur veut que Lefaure aurait eu des problèmes d'argent.

– Comment le savez-vous ?

C'était la première fois qu'une telle allusion parvenait aux oreilles de l'inspecteur. Ni à la préfecture ni à la Villa Maud, personne n'avait fait la moindre remarque en ce sens.

– Visiblement, il s'en serait ouvert à plusieurs reprises à des fonctionnaires du ministère, lorsqu'il venait à Paris. Pas à moi, ajouta-t-il, nous n'échangions guère davantage que ne l'exigeaient nos rendez-vous… Sinon pour citer les poètes latins ! Toujours est-il qu'on m'a rapporté que Lefaure avait des problèmes d'argent. Peut-être a-t-il cherché à monnayer ses services auprès de Lecocq ?

À LA BRASSERIE
FLEURY

Dans les couloirs du ministère, les quelques fonctionnaires que Machard interrogea évoquèrent à mots couverts les difficultés financières de Joseph Lefaure. Celui-ci était resté très vague à ce sujet, mais n'en avait pas moins fait état de « dettes »…

Avant de tenter sa chance auprès du fameux Alphonse Lecocq, député et sous-secrétaire d'État aux Finances, l'inspecteur décida de se rendre à la *Brasserie Fleury*.

Ouvert à la fin du siècle précédent, dans un quartier que le chemin de fer avait transformé en l'un des plus modernes de Paris, l'établissement avait connu de grands travaux de transformation. Tout ici – depuis les fresques de mosaïques représentant l'entrée et la sortie de la gare Saint-Lazare ou les plages de Deauville, jusqu'aux tables et aux chaises, en passant par le comptoir de la caissière –, avait été conçu dans l'esprit de cet Art Nouveau que l'on voyait maintenant partout. Il n'était pas loin de midi, l'heure du déjeuner approchait, et les premiers clients faisaient leur apparition. Tout le monde se bousculait dans tous les sens, mais l'inspecteur parvint à attirer l'attention du maître d'hôtel, un colosse rubicond à la moustache en croc.

– Jules Machard, inspecteur de la Sûreté. J'enquête sur la mort de Joseph Lefaure…

– Lefaure ? Le secrétaire de préfecture qui a été assassiné ? fit l'homme avec surprise.

– Celui-là même. Il a peut-être déjeuné ici, le mercredi 22. Auriez-vous trace d'une réservation ?

Le maître d'hôtel consulta un registre sur son comptoir, puis secoua la tête :

– Je ne vois rien…

– Et le député Lecocq ?

– Alphonse Lecocq ? Oh, lui, c'est un de nos meilleurs clients ! Très amateur de fruits de mer !

– Vous souvenez-vous s'il a déjeuné ici le mercredi 22 ?

– Attendez, je vais regarder… Non, fit-il avec une moue après avoir vérifié. Mais ça ne veut rien dire, il a pu venir sans réservation… Je sais que je l'ai aperçu il y a peu… Tenez, demandez à Marcel !

Un serveur qui passait, un plateau chargé d'assiettes sur le bras, répondit en s'épongeant le front de sa serviette :

– Le député Lecocq ? Oui, je l'ai servi il y a quelques jours… Il vient souvent tenir ses rendez-vous d'affaires ici, avec des gens qui débarquent du train ou qui vont le reprendre.

– Vous ne vous souvenez pas de la personne avec laquelle il a déjeuné ?

Le serveur secoua la tête.

– À part qu'il s'agissait d'un homme, je serais bien en peine de vous le décrire !

UNE ENTREVUE
AVEC LE DÉPUTÉ LECOCQ

Une fois franchi le porche de l'Élysée, l'inspecteur interrompit sa marche pour contempler le fond de la cour, où se dressait le portail à colonnes ouvrant sur le vestibule d'honneur carrelé de marbre de Carrare. Puis il se dirigea vers le rez-de-chaussée de l'aile est, sous les arcades : Alphonse Lecocq avait là, à sa disposition, trois ou quatre salons, occupés par une dizaine de personnes. On disait même qu'il s'était fait aménager une salle d'armes à l'intérieur du Palais. L'homme avait apparemment mis en place un judicieux système de recommandations fort lucratif. En échange de participations dans ses entreprises, par exemple, il se faisait fort d'obtenir l'une ou l'autre décoration de la République à qui en exprimait le souhait. Il se murmurait que pour obtenir la Légion d'honneur, certains étaient allés jusqu'à verser 25 000 francs !... Il avait également fondé en province un certain nombre de journaux qui lui servaient à étendre son influence. Mais la rumeur voulait aussi que ses écarts, de plus en plus visibles, soient de plus en plus mal tolérés, et il se murmurait qu'un scandale ne tarderait sans doute pas à éclater autour des tripotages du député Lecocq...

Jules Machard fut surpris de la célérité avec laquelle un assistant vint lui annoncer que le sous-secrétaire d'État aux Finances allait lui accorder une entrevue. Il s'était attendu à une fin de non-recevoir. Au lieu de cela, on le fit pénétrer dans un bureau somptueux, où il découvrit un homme longiligne au teint très pâle, le visage ceint d'une barbe aux reflets roux. Celui-ci leva sur lui des yeux d'un bleu très délavé.

– Vous êtes inspecteur de la Sûreté ? demanda-t-il avec une curiosité non déguisée.

– Jules Machard. Je me permets de venir vous poser quelques questions à propos de Joseph Lefaure, le secrétaire général de la préfecture de l'Eure.

Sans réponse, l'inspecteur poursuivit :

– Je crois que vous avez déjeuné avec lui il y a quelques jours, à la *Brasserie Fleury*, le 22 janvier ?

– Je ne me souviens plus de la date exacte, mais oui, tout à fait, j'ai déjeuné avec lui… reconnut bien volontiers Alphonse Lecocq. Voyez cela avec mon secrétaire.

– Vous n'étiez pas au courant de l'assassinat de M. Lefaure ?

– Si, j'ai dû lire ça dans un journal quelconque, fit l'autre avec un geste dédaigneux.

– Vous n'avez pas songé à en avertir la Sûreté ou le juge d'instruction ?

Les joues pâles d'Alphonse Lecocq se colorèrent de rouge, et il lança à Jules Machard un regard peu amène :

– Je ne suis pas sûr d'apprécier votre ton, inspecteur. Je pourrais en référer au préfet Lépine…

– Oh, rétorqua l'inspecteur d'un ton faussement humble, je doute que le préfet connaisse même mon existence… Aviez-vous une raison particulière de déjeuner avec le secrétaire général de la préfecture de l'Eure ?

Le député écarta la question d'un revers de main.

– Une relation politique à entretenir… comme tant d'autres !

L'inspecteur en doutait. Un homme aussi puissant qu'Alphonse Lecocq, s'abaisser à déjeuner avec un pauvre petit secrétaire général de préfecture ?

Même si le sous-secrétaire aux Finances avait disposé d'une excellente raison – qui demeurait pour l'instant mystérieuse – de se débarrasser de Lefaure, Machard ne le voyait cependant pas verser du laudanum dans le verre du secrétaire. Il aurait sans doute confié cette tâche à un quelconque sous-fifre. Les hommes de main ne devaient pas manquer, dans l'entourage de ce genre de personnage…

L'inspecteur sortit de sa poche la carte de visite trouvée sur Joseph Lefaure, et la tendit au député :

– Vous aviez donné cette carte à M. Lefaure ?

– Sans doute ! répliqua l'autre d'un ton excédé. Vous savez, je distribue ma carte à un certain nombre de gens… sans toujours m'en souvenir !

– Est-ce vous qui y avez noté ceci ? demanda l'inspecteur en indiquant l'heure manuscrite.

Lecocq se pencha et fit une moue :

– Non, il ne s'agit pas de mon écriture.

L'inspecteur demeura coi, retournant le petit rectangle de carton entre ses doigts. Lorsqu'il releva les yeux, Alphonse Lecocq le regardait fixement. L'entrevue était de toute évidence terminée. Le député Lecocq ne lui offrirait pas plus de détails sur ses relations ou sa rencontre avec Lefaure.

Que Lefaure ait conservé la carte de visite du député se concevait facilement, surtout dans la perspective d'éventuels « services » réciproques. Mais pourquoi diable avait-il gardé le menu de la brasserie ?

UNE NOUVELLE VISITE
À LA VILLA MAUD

Marthe Lefaure était encore trop submergée par le chagrin que lui avait causé la mort tragique de son mari pour pouvoir se déplacer à Paris, aussi l'inspecteur retourna-t-il à la Villa Maud. Il désirait l'interroger sur les relations de son mari avec le député Alphonse Lecocq. La veuve de Joseph Lefaure le reçut installée au coin du feu dans le salon, à demi allongée sur un sofa, l'air languissant. Elle était cette fois-ci en tenue de deuil.

L'inspecteur s'excusa de devoir la déranger, mais de nouveaux éléments étaient apparus, sur lesquels les enquêteurs s'interrogeaient.

– Nous avons retrouvé à la consigne de la gare Saint-Lazare une mallette contenant 30 000 francs. Il semblerait que ce soit celle avec laquelle votre mari pratiquait ce genre d'opération, lorsqu'il se rendait au ministère. Mais…

Il s'interrompit pour extraire un papier d'une chemise de carton brun.

– Le nom d'André Clément vous évoque-t-il quelque chose ? demanda-t-il en lui tendant la page du registre de la consigne.

Sans y toucher, elle jeta un regard à la feuille, et secoua la tête.

– L'écriture vous dit-elle quelque chose ?

– Non… Pas du tout.

L'inspecteur la remercia et rangea la précieuse pièce à conviction.

– Pensez-vous que votre mari aurait pu déposer cette mallette à la consigne ?

– Et pourquoi cela ? Il rentrait toujours directement ici, pour plus de sûreté. Et puis, ainsi que je vous l'ai dit, cette écriture n'est pas celle de mon mari. Si vous le souhaitez, vous pouvez aller consulter des papiers dans son bureau, et effectuer une comparaison.

– Saviez-vous qu'il devait déjeuner avec Alphonse Lecocq ?

– Je l'ignorais.

– Mais vous connaissez le député ?

La question parut la surprendre.

– Bien sûr ! Mon mari m'en parlait souvent, et il avait été en contact avec lui à plusieurs reprises. Le député possède dans la région un petit journal à un sou. Joseph lui rendait de temps en temps quelques services… Contrairement à certains époux qui gardent leur femme dans l'ignorance complète de leurs affaires, Joseph me tenait au courant de nombre des dossiers de la préfecture, me faisait part de ses difficultés ou des…

– Des difficultés ? l'interrompit l'inspecteur. Lesquelles, en particulier ?

– Je parle d'une façon générale ! rectifia-t-elle avec un peu d'agacement.

L'inspecteur l'interrogea ensuite sur la présence, dans le portefeuille de Joseph Lefaure, du menu de la *Brasserie Fleury*.

– Il l'a conservé sur lui ? Le menu ?

Il lui sembla que la chose étonnait Marthe Lefaure, et il patienta, pensant qu'elle allait lui poser une autre question, mais elle demeura silencieuse, le regard distrait. Il se préparait à la questionner lorsqu'elle releva la tête et le devança :

– Et mon agression ?

– Que voulez-vous dire ?

– Eh bien, cette tentative de cambriolage, l'homme qui m'a réduite à l'impuissance ? Disposez-vous d'une piste ? Avez-vous avancé ?

Elle s'exprimait avec impatience, les mains crispées sur ses genoux.

– L'enquête suit son cours.

– Vous n'avez rien trouvé ? Et ce vagabond qui a été arrêté ? Il ne vous a pas conduit à ses complices ? Mon agresseur était probablement de mèche avec lui !

– C'est grâce à lui, en quelque sorte, que nous avons retrouvé l'argent, reconnut l'inspecteur sans entrer dans les détails. Vous pensez donc également qu'il existe un lien entre cette tentative de cambriolage et l'assassinat de votre mari ?

– Évidemment ! lança-t-elle avec dédain.

– Cependant, objecta-t-il, vous avez dit vous-même que vous ignoriez ce que pouvait rechercher le cambrioleur. Il semble que rien n'ait disparu, et le coffre n'a pas été forcé…

– Mais l'homme devait penser que le coffre contenait de l'argent, des valeurs, que sais-je ! Excusez-moi, mais je pensais notre police un peu moins obtuse, remarqua-t-elle d'un ton acide.

Jules Machard demeura de marbre. Dans ce genre d'affaire, il était habitué à ce que l'on traite de haut les représentants de la loi. Il se contenta donc de prendre poliment congé de Marthe Lefaure en l'assurant qu'il ne manquerait pas de la tenir informée des suites de l'enquête.

DE NOMBREUSES QUESTIONS

Cette entrevue avait en tout cas appris une chose à l'inspecteur : ainsi qu'il l'avait soupçonné, le député Lecocq connaissait bien mieux Lefaure qu'il n'avait voulu l'admettre. Qu'il n'ait pas tenu à faire étalage de ses relations avec le secrétaire général de préfecture pouvait à la rigueur se concevoir, mais cette attitude ne dissimulait-elle pas davantage ? Lefaure aurait-il pu en savoir un peu trop sur les affaires de Lecocq, et chercher à le faire chanter, par exemple ? Cependant, rien ne venait pour l'instant étayer cette hypothèse.

En revanche, un point de sa conversation avec Marthe Lefaure intriguait l'inspecteur : pourquoi celle-ci n'avait-elle pas marqué de surprise lorsqu'il lui avait appris que l'argent avait été retrouvé à la consigne de la gare Saint-Lazare ?

Et comment diable ces 30 000 francs confiés à Joseph Lefaure avaient-ils disparu, en même temps que sa sacoche, pour réapparaître dans une mallette à la consigne ? Qu'on l'ait attaqué pour s'en emparer constituait l'hypothèse la plus logique. Mais la mallette appartenait à Joseph Lefaure, d'après le témoignage du sous-directeur du ministère. Et le ticket de consigne retrouvé dans la sacoche prouvait que le bagage contenant l'argent avait été laissé à la gare Saint-Lazare *avant* le départ du train. Joseph Lefaure était-il « André Clément » ? Et si oui, pourquoi avait-il usé de cette identité ? À moins qu'il n'ait confié la mallette à quelqu'un d'autre ?

UNE NOUVELLE
PISTE ?

– Trop d'indices dans cette histoire ! piailla Octave Garnier en tortillant l'extrémité de sa moustache.

L'inspecteur s'abstint de remarquer qu'il partageait totalement son point de vue. Il ne voulait pas donner cette satisfaction au juge. Pourtant, toute cette affaire commençait à l'embrouiller.

– Au fait, Machard, j'allais oublier, n'allez pas en plus nous mettre à dos le député Lecocq !

À la suite de sa visite à l'Élysée, l'inspecteur s'était attendu à des remontrances, et s'était même étonné que celles-ci ne viennent pas plus tôt.

– Vous avez pu constater à quel point il est bien introduit, poursuivit le juge, donc… marchez sur des œufs !

– Mais d'après la rumeur, il ne serait pas étonnant que ses… activités ne débouchent sur un scandale, argua Machard.

– Oui, eh bien, en attendant, autant user de prudence. Et pour ce qui est de Fromentin, dit La Filoche, toujours rien ? poursuivit Garnier.

Jules Machard secoua la tête. L'Identité judiciaire avait bien retrouvé au Sommier[3] la fiche anthropométrique de Fromentin, mais pour un résultat bien

---

3. *Les sommiers judiciaires, institués au XIXᵉ siècle, répertorient sous forme de fiches toutes les condamnations prononcées en France (il y a huit millions de fiches en 1893).*

maigre… L'homme avait été arrêté à plusieurs reprises pour vagabondage et état d'ivresse, rien de bien important, et il ne semblait pas qu'il ait jamais été associé, de près ou de loin, à l'activité d'une bande. En outre, il s'avérait qu'il n'avait pas menti sur le fait que la sacoche était vide. Il refusait de desserrer les dents, mais on pouvait, sans craindre de se tromper, penser qu'il avait trouvé le ticket de consigne dans la sacoche, et l'avait conservé dans l'idée d'aller faire un tour à la gare Saint-Lazare…

– On peut émettre l'hypothèse suivante : ne trouvant pas les 30 000 francs dans la sacoche, fou de rage, l'agresseur de Joseph Lefaure s'est sans doute débarrassé par la fenêtre du wagon des quelques effets qu'elle contenait, puis de la sacoche elle-même, sans accorder d'importance au ticket de consigne. Il ne l'a peut-être même pas vu…

– Et les domestiques ?

Machard haussa les épaules avec impuissance. Les enquêteurs n'avaient pas la plus petite piste à se mettre sous la dent.

– En revanche…

Le jeune inspecteur hésita.

– Oui ? Eh bien, allez-y, Machard ! Quoi donc ?

– Eh bien… il me semble que Mme Lefaure en sait davantage qu'elle ne veut bien l'avouer…

Le juge s'empourpra d'indignation :

– Je vous rappelle que c'est vous qui l'avez découverte ligotée et bâillonnée ! Vous la soupçonneriez ?

– Non, non, je n'irais pas jusque-là ! s'empressa Jules Machard. Cependant, lorsque je l'ai interrogée pour la seconde fois, à la Villa Maud…

Octave Garnier lui jeta un regard suspicieux, mais l'encouragea d'un geste :

– Elle m'a affirmé n'avoir confié à personne que son mari devait rentrer avec une grosse somme d'argent…

– Et ?

– Elle s'est troublée… Je pense qu'elle s'est brusquement souvenue qu'elle avait en réalité fait part de la chose à quelqu'un… Et sans doute une personne qu'elle connaissait bien, puisqu'elle ne m'en a pas parlé. Ensuite, lors de ma dernière visite, elle a… disons qu'elle a fort habilement dévié la conversation sur son agression, en venant à émettre des doutes sur notre compétence…

– Eh bien alors, qu'est-ce que vous attendez pour retourner lui tirer les vers du nez ! fulmina l'irascible Octave Garnier.

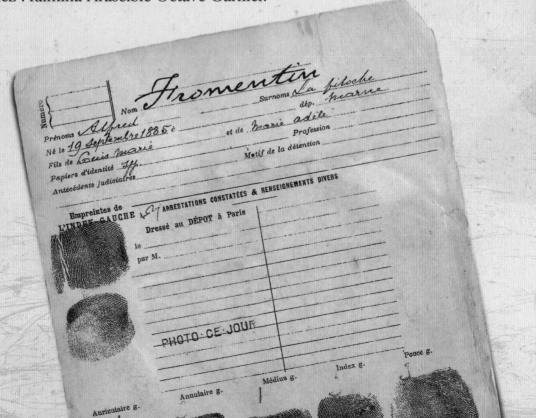

UNE FOUILLE
MINUTIEUSE

Cependant, en dépit des nouvelles questions et de l'entêtement de Jules Machard, Mme Lefaure s'obstina : non, non, et non, l'inspecteur s'était trompé et avait sans aucun doute mal interprété une de ses hésitations ! N'avait-il donc aucune idée des affres dans lesquelles elle avait pu se débattre ? Elle avait connu de véritables instants de terreur… Lorsque cet homme lui avait appliqué violemment la main sur la bouche… Elle frissonna rétrospectivement. Elle avait d'abord craint pour sa propre vie, avant que l'inspecteur ne lui apprenne quelques heures plus tard l'assassinat de son mari ! Non, elle n'avait soufflé mot du fait que celui-ci allait revenir de Paris lesté d'une somme de 30 000 francs. D'ailleurs, il avait déjà effectué ce genre de voyage auparavant et, jamais, elle n'en avait parlé à qui que ce soit. Elle ne savait que trop bien le risque que cela présentait…

– Enfin, inspecteur, je ne suis pas une tête de linotte ! Et mon mari me faisait une confiance absolue en la matière.

– Mais on peut malgré soi laisser échapper un détail, un infime élément qui mettra la puce à l'oreille d'une personne mal intentionnée ? suggéra l'inspecteur.

Elle haussa les épaules.

– En ce cas, cela aurait été par inadvertance, et il aurait fallu un terrible hasard pour qu'un mot malheureux puisse être interprété… j'ignore par qui, d'ailleurs !

– Et vous êtes bien certaine que votre mari non plus n'aurait pas involontairement fait naître une tentation… Un ami, croisé dans la rue, avec lequel on cause à bâtons rompus…

– Inspecteur, Joseph était un homme extrêmement prudent et scrupuleux ! Il avait, par exemple, l'habitude de tout noter, qu'il s'agisse de chiffres, de rendez-vous, de la moindre information. Il conservait soigneusement son carnet par-devers lui, reportant ces informations ensuite sur des registres ou des cahiers ici, pour être certain de ne rien oublier ni laisser passer. Les affaires de la préfecture étaient pour lui sacrées, et aller chercher au ministère 30 000 francs prélevés sur des fonds secrets n'est pas un sujet dont on se vante dans la rue !

◆ ◆ ◆ ◆

Un porte-documents de cuir renfermait des titres,

actions au porteur et certificats d'actions de sociétés diverses.

◆ ◆ ◆ ◆

Un carnet ? Le mot avait éveillé l'attention de l'inspecteur.

– Vous m'avez dit que rien ne manquait, dans le bureau de votre mari ? Dans ses dossiers, ses papiers ?

– Pas à ma connaissance, en tout cas. Mais si vous le souhaitez, libre à vous d'aller de nouveau examiner son bureau. Je n'ai rien à cacher.

L'inspecteur de la Sûreté ne se fit pas prier. Il semblait bien que personne, depuis la première visite des gendarmes, n'avait touché à rien dans le bureau du sous-secrétaire à la préfecture, au rez-de-chaussée de la Villa Maud. Contemplant le large secrétaire à rouleau, il fouilla successivement tous les tiroirs, de part et d'autre, puis les casiers disposés devant lui sous le rouleau relevé. Dossiers, factures de fournisseurs diverses et variées, cahiers de comptabilité sur lesquels s'étalaient des colonnes de chiffres manuscrites, il retourna tout, sans rien trouver qui lui paraisse sujet à interprétation. Un porte-documents de cuir renfermait des titres, actions au porteur et certificats d'actions de sociétés diverses. Mais là encore, rien de suspect. Si Joseph Lefaure était endetté, ainsi qu'il l'avait laissé entendre au ministère, il l'avait soigneusement dissimulé… Pas une lettre, pas une note de créancier, pas une reconnaissance de dette… Rien non plus qui semble le lier à Alphonse Lecocq.

Les protestations de Mme Lefaure n'avaient pas totalement convaincu l'inspecteur mais, pour l'instant, il ne voyait guère ce qu'il pouvait faire de plus.

Il soupira, puis demeura quelques instants songeur au milieu de la pièce. Il la passa en revue une dernière fois, et jeta un coup d'œil par la fenêtre aux massifs de rhododendrons avant de se retirer.

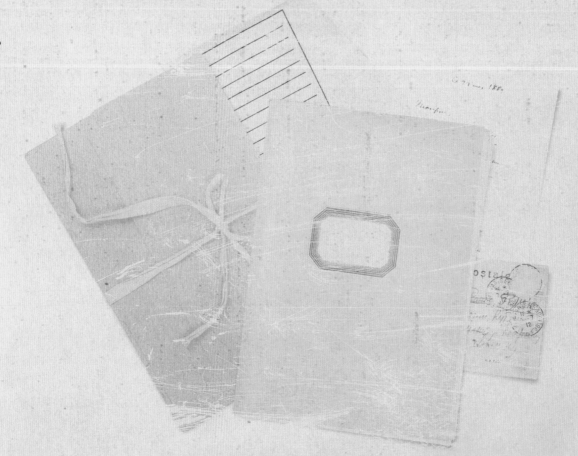

UN REBONDISSEMENT

– Inspecteur !

Machard sursauta. Plongé dans ses pensées, il n'avait pas entendu le planton qui venait de débouler, un pli à la main.

– Qu'est-ce qu'il y a, Victor ?

– Une lettre anonyme ! souffla le jeune homme, tout excité.

– Fais voir ça !

L'inspecteur ouvrit l'enveloppe, libellée à son nom, d'une écriture de toute évidence contrefaite. Il en tira une feuille de papier d'écolier quadrillé, sur laquelle il déchiffra : « *Dans l'affaire de la Villa Maud, vous devriez vous intéresser à la belle Veuve…* »

– Bon Dieu, je le savais ! lança l'inspecteur en tapant du poing sur son bureau.

– Quoi donc ? fit le jeune planton, ahuri.

– Qu'elle en avait parlé à quelqu'un ! À son amant, parbleu ! Si cette lettre dit vrai… Voilà qui éclaire les choses d'un nouveau jour ! Allons cuisiner la veuve. Ou plutôt non : d'abord, les domestiques. Et toi, préviens le docteur Locard que je vais lui soumettre un nouvel indice !

INDICE

VII

À LA VILLA MAUD

Les domestiques s'étaient réunis dans la cuisine, à la requête de l'inspecteur. Le maître d'hôtel était descendu à contrecœur, mais la cuisinière et la jeune femme de chambre étaient de toute évidence dévorées de curiosité. Jules Machard n'y alla pas par quatre chemins : Madame se rendait-elle quelquefois à Paris ? S'absentait-elle souvent ? Savaient-ils à qui elle allait rendre visite ? Avaient-ils déjà vu un homme venir à la Villa Maud en l'absence de son mari ?

– Ah ben alors ça ! Si on m'avait dit… Si c'est pas une honte, de penser des choses pareilles ! Madame !

La cuisinière en bafouillait.

– Vous savez, l'adultère est une pratique assez répandue. Je peux vous assurer que dans mon métier, j'en vois de belles ! répliqua l'inspecteur d'un ton sarcastique.

La laissant récriminer, il lança aux deux autres un regard interrogateur. Mais ils secouèrent tous deux la tête sans un mot.

– Enfin, précisa le maître d'hôtel, je veux dire, je n'ai jamais vu d'inconnu qui se serait présenté quand Monsieur n'était pas là. Pour ce qui est des visites de Madame à Paris, elle ne nous fournissait pas de précisions !

L'inspecteur se tourna vers la jeune femme de chambre, qui lui rendit son sourire :

– Allez prévenir Mme Lefaure que je souhaite la voir.

LES DÉNÉGATIONS
DE LA VEUVE

– Dieu du Ciel !

À la lecture de la lettre que lui avait tendue l'inspecteur, Marthe Lefaure pâlit, porta une main à son front puis s'évanouit, s'affaissant lentement au sol dans un tourbillon de sa robe.

– Marie !

L'inspecteur se précipita, hélant la jeune femme de chambre dont il se doutait qu'elle ne devait pas être bien loin derrière la porte fermée du salon.

– Votre maîtresse vient de se trouver mal. Venez m'aider !

À eux deux, ils l'allongèrent sur le sofa, et après avoir apporté un verre d'eau à Mme Lefaure, Marie se retira sur un signe de l'inspecteur.

– C'est une ignominie !

Les mots semblaient manquer à Marthe Lefaure, qui s'était redressée haletante, bouche ouverte, le feu aux joues.

– Une ignominie !

– Rien de ce que raconte cette lettre n'est donc vrai ?

– Inspecteur ! Comment pouvez-vous croire une seconde à ce tissus de mensonges ! Une lettre anonyme ! Seigneur… Mon pauvre Joseph ! Il en aurait eu le cœur brisé…

Marthe Lefaure forçait sans doute un peu le trait, dans l'expression de ses tourments de veuve éplorée. S'ils formaient en apparence un couple uni, Jules Machard n'avait cependant pas retiré des divers témoignages l'impression que Lefaure était un grand sentimental…

– On cherche à me nuire… à m'incriminer !

– Vous ne connaissez donc pas ce jeune « gandin » ? fit Jules Machard en reprenant les termes de la lettre. Ce texte insiste bien sur sa jeunesse…

Si l'inspecteur espérait mettre hors d'elle Marthe Lefaure en soulignant les insinuations de la lettre, il en fut pour ses frais. Celle-ci, une fois passée l'émotion suscitée par la lecture de la missive, paraissait plus en colère qu'autre chose.

– Jamais de la vie ! répondit-elle sans relever sa remarque. C'est une honte… Penser que j'aurais pu… Je ne connais pas cet homme, j'ignore tout de lui !

– Vous ne vous êtes jamais rendue rue Lepic ?

– Jamais !

– Madame, prenez garde… S'il s'avère que vous nous avez menti… Il ne sera pas bien difficile de retrouver ce… Blasius, énonça-t-il en relisant la lettre.

Elle s'insurgea :

– Eh bien, retrouvez-le ! Nous verrons bien, à ce moment-là, si je dis la vérité !

Évidemment, l'inspecteur n'avait guère espéré que la veuve de Joseph Lefaure lui avoue tout de go qu'en vérité, elle avait un amant. Elle s'était défendue farouchement, avec une vigueur toute particulière. Trop, peut-être ?

L'inspecteur allait attendre avec impatience et curiosité l'analyse que ferait le docteur Locard de cette missive.

26, RUE LEPIC

Pendant ce temps, au 26 de la rue Lepic, le brigadier Bellot, lui, avait découvert qu'un certain André de Blasius résidait bien là. C'était le seul célibataire de l'immeuble, qui occupait un minuscule appartement en mansarde au dernier étage. Le jeune homme qui leur avait ouvert, en veste d'intérieur, la pipe à la main, lisait son journal, et avait paru fort surpris de l'irruption des gendarmes.

Aux questions que lui avait posées le brigadier, il avait répondu qu'il ne connaissait aucune Mme Lefaure, ni d'ailleurs aucun Joseph Lefaure.

– Vous n'avez pas entendu parler du meurtre du secrétaire général de la préfecture de l'Eure ?

Le jeune homme longiligne, au front haut et à la barbe blonde bouclée, fronça les sourcils.

– Il s'agit de ce Joseph Lefaure ? Et quel rapport avec moi ?

Sans répondre, le brigadier demanda :

– Où vous trouviez-vous le mercredi 22 janvier ?

– Eh bien… je l'ignore, fit son interlocuteur avec une irritation croissante. Et tant que vous ne m'aurez pas expliqué ce que vous me voulez, je ne répondrai pas à vos questions !

– Libre à vous, Monsieur de Blasius… Je vais en informer le juge d'instruction, qui ne manquera pas de prendre les mesures nécessaires…

LES MYSTÈRES
DE LA LETTRE ANONYME

Le docteur Edmond Locard, penché sur la lettre anonyme que lui avait confiée l'inspecteur, fronçait les sourcils.

– À votre connaissance, la Villa Maud n'a jamais reçu auparavant de messages de ce genre ?

– Nous n'avons pas spécifiquement interrogé la maisonnée là-dessus, mais je suppose que si les domestiques avaient eu vent de quelque chose, ils nous en auraient informés ? Pourquoi ? Avez-vous décelé quelque chose de particulier chez ce « corbeau » ?

– Eh bien… Je peux me tromper, mais il me semble que cette lettre n'émane pas de ce que nous appelons, nous, un « anonymographe ».

– Que voulez-vous dire par là ?

– Tout d'abord, les véritables anonymographes envoient des lettres ou des billets sans arrêt, ils sont capables d'y passer des jours ou des nuits. Un corbeau s'adresse à des correspondants différents, inondant, par exemple, une petite ville, un quartier… Ce qui ne semble pas être le cas ici, d'après ce que vous me dites.

« Autre caractéristique des corbeaux qui semble absente, poursuivit-il : l'obscénité frappante du contenu. Or ici, ajouta-t-il avant que l'inspecteur éberlué ait pu articuler un mot, en dépit de la nature de l'accusation, je ne sais pas pourquoi, mais il me semble que la lettre devrait presque être plus obscène.

L'inspecteur Machard n'en revenait pas.

– Vous êtes sûr ?

– Oh, presque à cent pour cent !

– Et que faites-vous de ces « cochonneries » ?

– Inspecteur, vous n'allez pas me faire croire qu'il s'agit là d'obscénités ! gloussa le médecin. Si vous le souhaitez, je vous montrerai quelques exemples d'élucubrations véritablement ordurières…

✦ ● ◆ ● ✦

Qui a intérêt à incriminer Marthe Lefaure ?

✦ ● ◆ ● ✦

« Enfin, poursuivit-il, dernier point, et non des moindres : dans toutes les affaires de corbeau, on s'aperçoit que le ou la maniaque est dépourvu de véritable motif. Il écrit pour le plaisir, pour se défouler, il peut en arriver à écrire des centaines de lettres pendant des années…

« Pour toutes ces raisons, je ne crois pas que nous ayons affaire ici à la vindicte d'une vieille fille hystérique, par exemple, mais bien à une lettre de dénonciation pure et simple, oserais-je dire… À vous d'en tirer les conséquences, mon cher ! Pourquoi cette lettre ? Quel est le véritable but de celui ou celle qui l'a rédigée ? Qui a intérêt à incriminer Marthe Lefaure ? À dénoncer le fait qu'elle aurait un amant ? Pour ma part, conclut-il en laissant l'inspecteur se débrouiller avec ses réflexions, je vais m'atteler à l'étude de l'écriture proprement dite.

SOUS LES TOITS
DE PARIS

Sur l'ordre du juge d'instruction, les enquêteurs procédaient à la fouille de la mansarde de l'amant. Le logis se composait de deux pièces minuscules, où régnait un certain désordre. Deux chaises autour d'une table ronde de dimensions réduites, un canapé disposé devant la petite cheminée sur laquelle trônait une pendule sous cloche, et un petit secrétaire poussé contre un mur. La chambre abritait un grand lit en acajou, une table de nuit et une commode de toilette.

– Inspecteur !

Un enquêteur qui fouillait le secrétaire de Blasius brandit une feuille roulée en boule, extraite de la corbeille à papiers. Jules Machard s'en empara et la défroissa : il s'agissait de la page arrachée d'un indicateur des chemins de fer de l'Ouest. Elle indiquait les horaires des trains pour Cherbourg, et un gros trait de crayon encerclait le départ de 18 h 53…

– Pouvez-vous m'expliquer ceci ? demanda l'inspecteur à André de Blasius, qui contemplait avec morgue les hommes de la Sûreté.

– Eh bien, c'est un horaire de chemin de fer, répliqua le jeune homme, narquois.

– Vous aviez l'intention de prendre le 18 h 53 pour Cherbourg ?

– Je devais me rendre à Évreux pour affaires, mais le voyage a été reporté, daigna expliquer Blasius.

– Le même jour que le secrétaire Lefaure, sans doute ? Quelle coïncidence…

– Je suppose qu'en fouillant tous les appartements de la capitale, vous en trouverez, des indicateurs de chemin de fer !

– Mais je ne connais pas grand monde qui les déchire pour les jeter à la poubelle, rétorqua l'inspecteur avec un haussement d'épaules. Rien d'autre ? fit-il en se tournant vers ses hommes.

– Aucune trace de laudanum ou d'éther sulfurique, en tout cas, lui répondit un des enquêteurs. Mais j'ai ramassé ceci, qui était tombé derrière la commode de toilette, ajouta-t-il en montrant à Jules Machard un morceau de papier qu'il avait glissé dans un sachet.

– Qu'est-ce que c'est ?

– On dirait bien l'étiquette décollée d'un poudrier.

– Une femme a donc séjourné ici ?

André de Blasius eut un rire fanfaron :

– Tous les jeunes gens célibataires de mon âge reçoivent des dames, inspecteur. Vous l'ignoriez ?

– Et quelle est l'identité de cette « dame » ?

– Inspecteur, je suis un galant homme, et je n'irai jamais ternir la réputation d'une femme !

– Il ne s'agirait pas de Marthe Lefaure, par hasard ?

– Mme Lefaure ? Jamais de la vie ! Je vous ai déjà dit et répété que je ne connaissais pas ce monsieur, dont j'ai appris l'assassinat par les journaux, et encore moins sa femme !

INDICE

IX

UNE NOUVELLE
HYPOTHÈSE

Tandis que le docteur Locard poursuivait son expertise du graphisme de la lettre anonyme, l'inspecteur de la Sûreté réfléchissait au contenu de celle-ci. Qui l'auteur avait-il voulu dénoncer ? Marthe Lefaure ? Ou bien Blasius ? Celui-ci leur était fort opportunément tombé du ciel ! Sans cette lettre, il était probable que jamais la Sûreté n'aurait eu vent de son existence. Et il ne s'attendait pas à leur visite, l'inspecteur en aurait mis sa main au feu. Le jeune Blasius ne semblait pas briller par son intelligence, mais s'il avait su qu'il allait recevoir les représentants de la loi, il n'aurait tout de même pas laissé traîner cet horaire de chemin de fer dans sa poubelle. La concierge de l'immeuble de la rue Lepic n'avait pas rechigné à fournir des renseignements sur André de Blasius : un garçon aux fort mauvaises manières, qui ne prenait jamais la peine de la saluer… Oui, de temps à autre, elle avait remarqué qu'une femme lui rendait visite. Une femme mariée, sans aucun doute, car celle-ci se dissimulait toujours sous des voiles épais, et repartait à des heures indues…

Si Blasius était bien l'amant de Marthe Lefaure, avaient-ils tous deux comploté pour se débarrasser du mari ? Sachant à bord de quel train monterait le secrétaire de préfecture pour rentrer chez lui, Blasius l'avait suivi, puis assommé… Était-ce lui qui lui avait également administré du laudanum ? Mais comment ? Par quel subterfuge ? Et comment la disparition de l'argent intervenait-elle là-dedans ?

LES SECRETS
D'UNE ÉTIQUETTE

– Regardez.

L'inspecteur obéit à l'invitation du docteur Locard, et se pencha pour river son œil à l'objectif du microscope.

– Que voyez-vous ?

– Eh bien… euh… des cristaux ? hasarda Jules Machard, redoutant de passer pour un ignorant complet.

– En tout cas, cela y ressemble. Savez-vous d'où ils proviennent ? Ce sont des grains de poussière rose que j'ai prélevés sur l'étiquette que vous m'avez donnée ! expliqua-t-il sans attendre la réponse de l'inspecteur. Ils ont ici la forme de noyaux angulaires, et ressemblent effectivement à des cristaux dont le diamètre ne dépasse pas dix microns. Ce sont, à mon avis, des résidus de poudre de riz, dans lesquels j'ai décelé la présence de bismuth, d'oxyde de zinc, d'oxyde de fer, de manganèse et de colorant rouge !

– Et ? demanda l'inspecteur sans bien comprendre en quoi la composition de ces poussières pouvait les aider.

– Eh bien, pouvez-vous me procurer discrètement la poudre utilisée par Mme Lefaure ?

Machard réfléchit :

– Je vais trouver un moyen.

UNE FEMME DE CHAMBRE
BIEN SERVIABLE

L'inspecteur avait pris soin de se présenter à l'entrée de service. Il demanda à voir Marie, la femme de chambre, sachant qu'elle n'était pas insensible au charme de ses moustaches blondes bien taillées et à son sourire qu'il savait rendre enjôleur. Lui recommandant la discrétion, il lui demanda de s'arranger pour aller prélever un peu de poudre de riz dans le poudrier de Marthe Lefaure.

– Rien qu'un peu, rassurez-vous ! Cela va nous servir à innocenter votre maîtresse, l'assura-t-il en lui glissant une enveloppe.

Marie s'esquiva à l'étage, tandis qu'il demeurait dans la cuisine, et revint rapidement, après avoir subtilisé la houppette du poudrier.

– Votre maîtresse ne va pas s'apercevoir de son absence ? s'inquiéta-t-il.

– Non, non, ne vous en faites pas, elle en a plusieurs, qu'elle égare souvent, elle ne s'en rendra pas compte. Madame fait fabriquer tout spécialement sa poudre de riz par un pharmacien d'Évreux, vous savez, ajouta-t-elle fièrement. Il n'y en a pas deux comme ça !

L'inspecteur Machard bénit intérieurement la jeune fille. Si le docteur Locard parvenait à établir un lien entre la poussière retrouvée sur l'étiquette et la poudre de riz de la houppette de Marthe Lefaure, ils auraient franchi un grand pas dans cette enquête.

UN DRÔLE
D'INTERROGATOIRE

L'air offusqué, André de Blasius s'était assis avec raideur face au bureau du juge d'instruction, posant son couvre-chef et sa canne sur ses genoux. Les policiers l'avaient cueilli en pardessus de voyage et casquette, alors qu'il s'apprêtait apparemment à prendre la route dans une Alcyon quatre cylindres à deux places. Les renseignements récoltés par les enquêteurs dressaient un portrait peu flatteur du jeune Blasius : fils de famille désargenté, fâché avec son père, qui lui avait coupé les vivres. Un récent petit héritage d'une lointaine tante lui permettait de vivoter dans sa mansarde. Il se contentait d'entretenir son réseau de relations, écrivait des billets dans quelques journaux, bref, menait une existence de jeune oisif.

– Où comptiez-vous vous rendre, dans cette automobile ? l'interrogea Octave Garnier.

Le jeune homme le prit de haut.

– Je ne crois pas que…

– Jeune homme, je vous conseille de ne pas adopter ce ton-là avec moi ! Les enquêteurs ici présents, annonça Garnier en désignant l'inspecteur Machard et le brigadier Bellot, ont déterminé que cette automobile appartenait au député et sous-secrétaire d'État aux Finances Alphonse Lecocq ?

– C'est un ami de mon père, qui a très généreusement mis son automobile à ma disposition.

– Vous le connaissez bien ?

– Je pense pouvoir dire que j'appartiens au cercle de ses intimes, répondit Blasius en se rengorgeant. D'ailleurs, lorsque je le mettrai au courant de cette convocation dans vos bureaux, sans aucune raison valable, nul doute que vous entendrez parler de lui !

Le juge d'instruction cligna des yeux.

– Vraiment ? Vous fréquentiez donc également Joseph Lefaure ?

– Pardon ?

D'une voix doucereuse, Octave Garnier expliqua :

– Eh bien, puisque nous savons de source sûre que le député Lecocq connaissait Lefaure, et que vous faites partie de ses intimes, on peut en conclure que vous connaissiez également le secrétaire général ?

André de Blasius blêmit.

– Non, non, pas du tout ! Je veux dire… Énormément de gens gravitent autour du député, je… je ne les connais pas tous !

– Évidemment… Revenons-en à cette automobile. Une… Alcyon ? Ce n'est pas rien ! Alphonse Lecocq est soit très généreux, soit très reconnaissant.

– Reconnaissant ? répéta André de Blasius sans comprendre.

Debout dans son coin, l'inspecteur Machard dissimula un sourire. Le juge se montrait plus subtil qu'il ne l'aurait cru.

– Eh bien, il vous a fourni cette voiture pour vous remercier… Parce qu'il vous apprécie.

– Tout à fait ! s'empressa le jeune homme.

– Mais pourquoi vous apprécie-t-il ? Et de quoi vous remercie-t-il, d'ailleurs ?

– Mais… mais… répéta Blasius, égaré.

– Vous lui avez rendu service ?

– Tout à fait, c'est cela !

– Un service de quel ordre ?

– De quel ordre ? répéta Blasius en bredouillant.

– Eh bien, oui, par exemple, je ne sais pas, moi, Joseph Lefaure menaçait le député de chantage, vous l'avez donc réduit au silence…

– Quoi ?

André de Blasius bondit sur ses pieds, faisant tomber sa casquette et sa canne, qui rebondit bruyamment sur le parquet.

– Vous êtes fou !

Féroce, le brigadier Bellot intervint :

– Monsieur, je vous rappelle que vous parlez à un juge d'instruction ! Je pourrais bien vous fourrer en prison pour outrage à magistrat !

– Laissez, laissez, brigadier, coupa le juge, accompagnant ses paroles d'un geste d'apaisement. Il est vrai, ajouta-t-il avec une fausse contrition, que l'accusation n'est pas anodine…

– Je ne vous le fais pas dire !

– Allons, calmez-vous et rasseyez-vous, jeune homme…

Après un instant d'hésitation, Blasius se rassit.

– Passons à un autre sujet : votre liaison avec Marthe Lefaure.

Blasius vira à l'écarlate.

– Enfin, si l'on se fie à cette lettre anonyme, veux-je dire.

Jules Machard se retenait pour ne pas éclater de rire. Il était évident qu'André de Blasius ne savait plus où donner de la tête, et que les questions du juge l'avaient déstabilisé.

– Eh bien, j'ignorais que la police accordait du crédit aux corbeaux ! lança le jeune homme.

– Si vous saviez combien de complices qui s'estiment lésés au cours d'un partage de butin ou bien de meurtriers craignant une dénonciation, s'échinent à nous écrire… J'avoue que lorsqu'ils nous fournissent des indications suffisamment précises, nous n'hésitons pas à nous en servir, asséna Octave Garnier avec ravissement. Enfin, revenons-en à Marthe Lefaure…

– Je ne connais pas Marthe Lefaure !

– Pourtant, la concierge de la rue Lepic… Le juge fit mine de chercher dans les papiers étalés sur son bureau. Ah, je ne retrouve plus le nom de cette brave femme ! Elle affirme que vous recevez régulièrement la visite d'une dame voilée…

André de Blasius rugit :

– Cette immonde pipelette ! Elle me déteste ! Elle ferait n'importe quoi pour me nuire !

– Calmez-vous, Monsieur de Blasius ! Vous refusez donc de nous fournir l'identité de cette personne ?

– Elle n'a rien à voir dans cette histoire, et je ne veux pas lui attirer des ennuis !

Ironique, le juge d'instruction commenta, prenant à témoin l'inspecteur et le brigadier :

– Voilà qui est tout à votre honneur, nous n'en doutons pas… Donc, pour résumer, vous êtes un ami du député Lecocq, auquel vous rendez des services, vous ignorez l'existence de Marthe Lefaure, et la présence dans votre corbeille à papiers d'une feuille indiquant précisément l'heure du train de Joseph Lefaure est le fruit du hasard ?

Une idée lumineuse parut traverser l'esprit d'André de Blasius :

– Je n'avais plus besoin de prendre le train, puisque je disposais de l'automobile d'Alphonse Lecocq !

– Je comprends… soupira le juge d'instruction, l'air navré de la faiblesse de l'argument. Bien, ce sera tout pour aujourd'hui, Monsieur de Blasius. Mais je vous prie de demeurer à notre disposition…

UNE ÉNIGME
INSOLUBLE

Une fois André de Blasius renvoyé dans ses foyers, les trois hommes demeurèrent seuls.

– Alors, messieurs, qu'en pensez-vous ? lança Octave Garnier.

– Personnellement, à part en conclure que ce type est un abruti, asséna sans ménagement le brigadier Bellot, je ne nous vois guère plus avancés !

La mort de Joseph Lefaure est un empoisonnement au laudanum, les analyses sont formelles !

89

– D'après Marthe Lefaure, son mari notait le moindre détail de ses activités dans un carnet, reportant ensuite les éléments dans ses dossiers à la préfecture et chez lui. Maintenant qu'il est établi que Blasius et Lecocq entretiennent d'étroites relations, ne pourrions-nous pas, suggéra Jules Machard avec précaution, imaginer que le député ait pu envoyer Blasius récupérer ce carnet, sur lequel Lefaure aurait pris des notes compromettantes, par exemple ?

– On peut concevoir que, dans ce but, Blasius ait assommé Lefaure après lui avoir administré de l'éther, argua Octave Garnier, mais que faites-vous du laudanum ? Je vous rappelle que la cause de la mort de Joseph Lefaure est un empoisonnement au laudanum, les analyses sont formelles !

Jules Machard soupira. Rien à faire, ils tournaient en rond.

– Et l'analyse de cette fichue lettre de dénonciation ? Où en est le docteur Locard ? demanda le juge.

– Il n'en a pas encore terminé, mais me prévient dès que possible. En attendant, peut-être serait-il bon de rendre une nouvelle visite à Alphonse Lecocq ? suggéra l'inspecteur en désespoir de cause.

À sa grande surprise, le juge Garnier ne bondit pas de son siège, mais demeura silencieux, mordillant sa moustache.

L'inspecteur insista :

– Il paraît logique de l'interroger sur les services que pouvait lui rendre Blasius ?

Octave Garnier parut prendre une décision.

– Blasius aurait cherché à récupérer des éléments compromettants pour Lecocq ? Avançons pour l'instant sur cette hypothèse, mais tant que nous n'aurons rien de tangible, ce fameux carnet, des papiers, que sais-je… vous ne bougez pas, Machard. Vous entendez ?

– Bien, monsieur le juge, obtempéra l'inspecteur en échangeant avec le brigadier Bellot un regard de connivence.

Décidément, le juge ne changerait jamais.

LA FILOCHE
S'OBSTINE

Mais où chercher ? Marthe Lefaure avait été formelle, il ne manquait rien dans le bureau de son mari, et l'inspecteur n'avait rien remarqué de notable. Bien entendu, elle aurait pu ignorer le détail des trafics de son mari avec Lecocq ou qu'il avait l'intention de faire chanter celui-ci, peut-être… Ils n'avaient rien trouvé chez Blasius, à part cette page d'indicateur de chemin de fer et l'étiquette du poudrier. L'inspecteur pria intérieurement pour que les recherches du docteur Locard donnent des résultats. Et Blasius avait eu beau nier de toutes ses forces entretenir un quelconque rapport avec Lefaure, son explication de la présence de la page de l'indicateur dans sa corbeille à papiers était bien faible.

De conserve, l'inspecteur et le brigadier rendirent visite en cellule à La Filoche, toujours aussi peu loquace, mais que son séjour derrière les barreaux avait légèrement débarrassé de ses relents de vinasse.

– À part ce ticket de consigne, tu es sûr que la sacoche était vide ?

– Ben oui, ça fait cinquante fois que j'vous l'dis ! grommela le vagabond.

– Et dans ton gourbi ? Tu n'aurais rien planqué d'autre là-bas ?

– À c'que j'sais, vous avez déjà tout r'tourné !

– Il n'y avait pas de papiers, de carnet, dans la sacoche ?

– Rien de rien, bon sang !

L'inspecteur soupira en s'adressant au brigadier :

91

– Si l'agresseur a balancé les effets de Lefaure, il a tout aussi bien pu jeter un carnet avec… Nous ne le saurons jamais.

Les deux hommes tournèrent les talons, plantant là La Filoche dans sa cellule.

– Hé, quand c'est qu'vous allez m'laisser sortir ? J'ai rien fait, moi !

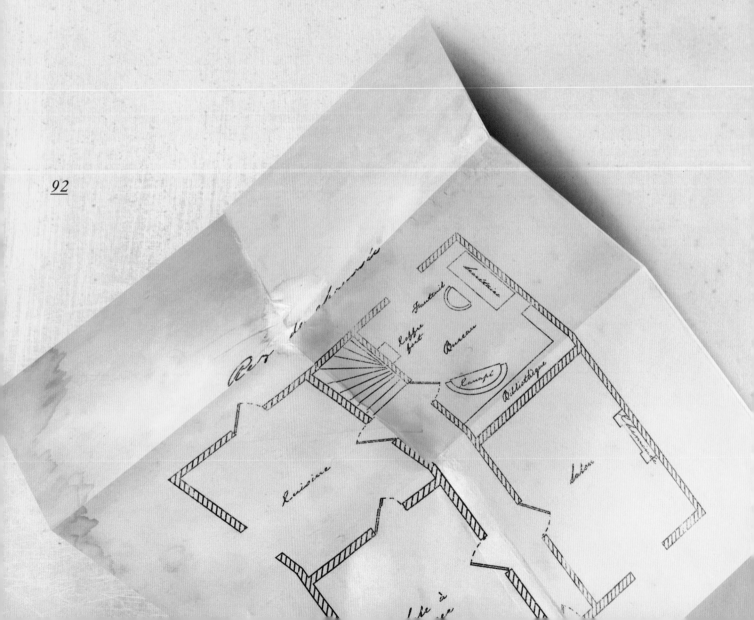

LES DÉCOUVERTES
DU DOCTEUR LOCARD

– Je vous l'avais dit, Machard !

Rayonnant, le docteur Locard accueillit avec triomphalisme l'inspecteur, qui venait encore une fois de grimper les cinq étages jusqu'au laboratoire de police technique. Il poursuivit :

– Personne ne peut aller et revenir d'un endroit, entrer et sortir d'une pièce sans apporter et déposer quelque chose de soi, sans emporter et prendre quelque chose de l'endroit ou de la pièce !

– Qu'avez-vous donc découvert ? demanda l'inspecteur, à qui l'enthousiasme du médecin donna d'un seul coup des ailes.

– Tant de choses ! Et qui pointent toutes dans la même direction… Plus exactement, trois éléments. Commençons par cette poudre que vous m'avez ramenée… La houppette de Mme Lefaure. Eh bien, elle renferme les mêmes éléments que la poussière de l'étiquette, et comme la composition de cette poudre est unique, fabriquée spécialement pour elle…

– On peut donc en déduire que la visiteuse d'André de Blasius est bien Marthe Lefaure !

– Elle pourra vous rétorquer qu'elle ignore comment cette poudre a atterri là-bas, qu'elle n'y a jamais mis les pieds, mais… Ce petit rectangle de papier établit formellement un lien entre Blasius et Marthe Lefaure. Lequel, à vous de le déterminer !

Il poursuivit :

– Maintenant, venons-en à la lettre anonyme. J'ai une autre bonne nouvelle pour vous. Nous n'avons relevé aucune empreinte inconnue, ni sur l'enveloppe ni sur la feuille, mais… j'ai étudié le type de papier sur lequel elle a été rédigée. Vous aurez remarqué qu'il s'agissait d'une page de cahier d'écolier… Entre parenthèses, un fait plutôt rare dans les cas d'anonymographie, je ne sais pourquoi. Poursuivons : certaines des caractéristiques de ce papier sont assez marquées, et j'ai donc expédié mon assistant procéder à des recherches. Pardonnez-moi si j'ai quelque peu empiété sur vos prérogatives… mais je mourais d'impatience ! En effet, j'ai constaté que ce papier provenait sans aucun doute de ces lots de cahiers mal rognés ou dont le quadrillage a été imprimé de travers, et que l'on trouve en solde dans les petites épiceries ou débits divers… Savez-vous ce que nous avons trouvé ? Que la modeste épicerie de Saint-Gratien était la seule des alentours à disposer de quelques lots de ces cahiers et qu'elle n'en a jamais vendu qu'à une seule personne… Marthe Lefaure !

Jules Machard en demeura muet de stupéfaction.

– Mais ce n'est pas tout ! poursuivit Edmond Locard. J'ai achevé l'analyse du graphisme de la lettre, et…

– Et ? souffla l'inspecteur, sur des charbons ardents.

– À mon avis, la personne qui a déguisé son écriture pour composer ce mot doux ne peut être que… la veuve Lefaure !

L'inspecteur se sentit défaillir et se laissa tomber sur le haut tabouret dressé devant la paillasse du laboratoire.

L'INSPECTEUR
A UNE IDÉE

– Je n'y comprends plus rien ! piailla Octave Garnier en levant les bras dans un geste d'impuissance et en s'affalant derrière son bureau, une fois que l'inspecteur lui eut communiqué les dernières découvertes du docteur Locard. Écartons pour l'instant l'identification de l'écriture et parlons de ce papier de cahier d'écolier : n'importe qui a pu le subtiliser dans le bureau de la Villa Maud ou la chambre de Mme Lefaure. Le cambrioleur, par exemple ! Ou encore un des domestiques, pour composer cette lettre anonyme !

– Mais que faites-vous de l'étiquette de la boîte de poudre de riz chez Blasius ? Quelqu'un serait allé la déposer là-bas ? Cela me paraît bien tiré par les cheveux ! rétorqua l'inspecteur.

– Marthe Lefaure doit donc bien être la maîtresse de Blasius, soupira le juge.

– Donc, pour moi, s'empressa Jules Machard, l'hypothèse la plus simple étant souvent la bonne, Marthe Lefaure a poussé son amant à assassiner son mari !

– Et que faites-vous de son agression ? protesta Garnier. Il s'agirait d'une coïncidence ?

– J'ai ma petite idée sur la question… Je vous en parlerai.

– Mais si Marthe Lefaure a poussé son amant à tuer son mari, pourquoi at-elle voulu que nous découvrions son identité ? Non seulement elle détruit ainsi sa réputation, mais elle fait porter les soupçons sur elle ! Sans cette lettre, nous ignorerions tout de Blasius ou d'un quelconque amant de Mme Lefaure dont, par ailleurs, je vous le rappelle, la réputation est sans tache. Souvenez-vous qu'elle passe même pour une femme plutôt austère, et qu'on nous a raconté qu'elle ne goûtait guère les plaisanteries un peu trop grivoises des grands propriétaires de la région aux dîners de la préfecture !

– Je n'ai pas encore trouvé la réponse, mais cela ne tardera pas ! avoua l'inspecteur, têtu.

Octave Garnier soupira.

– Je crois que vous vous acharnez sur cette malheureuse veuve…

– Enfin, monsieur le juge, le papier, l'écriture, l'étiquette !

– Non, moi, je pencherais plutôt pour Lecocq faisant exécuter ses basses œuvres par Blasius ! Il nous reste à trouver comment il lui a administré le laudanum.

❖ ❖ ❖

Oui, enfin, ce cambriolage… nous verrons.

❖ ❖ ❖

Le brigadier Bellot renchérit :

– Pourquoi Marthe Lefaure aurait-elle fait assassiner son mari ? Celui-ci, en dépit de ses besoins d'argent, avait tout de même une bonne situation. Elle l'aurait fait tuer par Blasius pour récupérer les 30 000 francs ? 30 000 francs qui s'étaient d'ailleurs volatilisés avant le départ du train dans lequel est monté Lefaure. Et les deux amants ne seraient pas allés bien loin, avec cela ! Elle se serait retrouvée avec ce gommeux sans un sou et oisif ?

Le juge d'instruction acquiesça :

– L'argument du brigadier Bellot me paraît frappé au coin du bon sens ! Marthe Lefaure a la tête sur les épaules, inspecteur. Elle n'est pas de ces femmes qui envoient tout promener pour un joli garçon. Qu'elle s'accorde quelques heures de… détente dans une mansarde, je veux bien, mais qu'elle sacrifie pour cela une existence fort confortable, j'en doute.

Jules Machard fut obligé d'admettre qu'il partageait l'analyse des deux hommes quant au caractère de la veuve Lefaure. Néanmoins, il insista :

– Mais si les dettes de Lefaure avaient mis en péril le confort de cette existence ?

– Nous n'avons trouvé trace nulle part de ces fameuses dettes !

– Dans ce cas, nous en revenons à l'hypothèse Lecocq, reconnut l'inspecteur à contrecœur.

– Et le cambriolage en apparence raté de la Villa Maud avait pour but de retrouver des documents qui pourraient incriminer le député, souligna le brigadier.

D'un ton plein de sous-entendus, l'inspecteur remarqua :

– Oui, enfin, ce cambriolage… nous verrons.

– Pour l'instant, Machard, tentez donc d'obtenir un rendez-vous avec Alphonse Lecocq, et de glaner quelques renseignements… Gardons par-devers nous l'histoire de l'étiquette et du cahier d'écolier. Inutile d'alerter Mme Lefaure. Et demandez à Locard de me communiquer un rapport détaillé sur son analyse graphologique et ses conclusions… stupéfiantes !

UNE LEÇON
DE GRAPHOLOGIE

– Vous savez, inspecteur, il est en général difficile de déguiser son écriture, si l'on ne s'est pas exercé au préalable et si l'on n'a pas de réelles notions de graphologie.

Machard était venu interroger le docteur Locard sur les éléments qui avaient pu le pousser à conclure avec certitude que Marthe Lefaure était l'auteur de la lettre anonyme. Locard expliqua :

– Chez les gens qui ne sont pas de véritables « anonymographes », tels que je vous les ai décrits, il existe relativement peu de modes de déguisement de l'écriture, qui portent sur des points bien précis : un scripteur avec une écriture très penchée la redressera, et inversement, la déformation des majuscules et des minuscules, l'imitation typographique, c'est-à-dire l'écriture en bâtons ou double bâtons, l'augmentation ou la diminution du calibre de l'écriture, et enfin, la sinistrographie.

– La *sinistro*…

– Rien de plus simple, sourit le docteur Locard, et l'un des procédés les plus couramment utilisés : écrire avec la main gauche. Je ne vais pas rentrer dans des considérations trop techniques, mais les signes les plus typiques aux yeux de l'expert sont l'irrégularité des valeurs angulaires, la déformation convexe de la limitante verbale, le resserrement périodique des grammas, la déformation des courbures et des traits d'attaque…

– Assez ! Par pitié ! l'interrompit d'un geste l'inspecteur. Je vous crois… Si vous m'assurez que, en comparant cette lettre avec l'écriture de Marthe

Lefaure, vous en avez tiré cette conclusion, vous pouvez garder vos démonstrations pour le tribunal.

———— ◆ ◆ ◆ ————

L'irrégularité des valeurs angulaires, la déformation convexe de la limitante verbale, le resserrement périodique des grammas, la déformation des courbures et des traits d'attaque…

———— ◆ ◆ ◆ ————

– Inspecteur, chaque écriture comporte toute une série d'idiotismes, c'est-à-dire de constructions particulières, de constantes, dont le scripteur ne peut pas se débarrasser lorsqu'il s'attelle à l'exercice de déguisement. L'expert dispose pour sa comparaison de la graphoscopie, la méthode qualitative, et de la graphométrie, la méthode quantitative…

« En résumé, pour ne pas vous assommer de détails, les similitudes entre l'écriture de Mme Lefaure et celle de la lettre anonyme sont flagrantes. Et Marthe Lefaure, n'étant pas une véritable anonymographe, dont le but était l'efficacité – et non la calomnie – a adopté le procédé le plus simple à sa portée : écrire de la main gauche. Sans se douter qu'il s'agit de l'un des déguisements les plus simples à percer à jour…

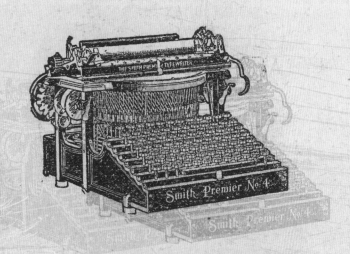

UN INDICE
RÉVÉLATEUR

– Monsieur le juge ?

– Entrez, inspecteur, entrez ! invita le magistrat avec morosité. Où en sommes-nous ?

– Cette fois-ci, je crois avoir trouvé…

– Encore votre idée fixe ? Vous êtes toujours convaincu que Marthe Lefaure porte une responsabilité dans l'assassinat de son mari ?

100

– Monsieur, bien que Mme Lefaure se soit obstinée à le nier, le docteur Locard a démontré grâce à la poussière de poudre de riz que Blasius était son amant.

– Plus exactement, qu'elle s'est probablement trouvée dans son logis, rectifia le juge.

L'inspecteur étouffa un soupir.

– Si vous préférez. Ensuite, Locard, grâce à l'analyse du papier et de l'écriture, a également démontré que l'auteur de la lettre anonyme ne pouvait être que Mme Lefaure…

– Vous voulez dire : il a démontré que c'était elle qui s'était procurée le cahier d'écolier sur lequel a été écrite cette lettre !

– Monsieur le juge, l'exposé de l'analyse graphologique que fera le docteur Locard ne pourra que convaincre le tribunal !

– Vous savez parfaitement, Machard, que ces affaires d'anonymographies sont extrêmement difficiles à prouver…

– Il ne s'agit pas d'un « anonymographe », lança Machard, fier de sa science toute neuve, le docteur Locard affirme que…

– Enfin, le coupa le juge, vous comprenez ce que je veux dire… Cela ne nous suffit pas !

— ◆ ◆ ◆ —

Bizarre ? Vous avez dit bizarre ?

— ◆ ◆ ◆ —

– Et que diriez-vous d'un élément qui, sans le moindre doute, offre un mobile de poids à la veuve de Joseph Lefaure ?

Octave Garnier fronça les sourcils.

– Que voulez-vous dire ? Qu'est-ce donc ?

– Une police d'assurance de 500 000 francs ! rugit l'inspecteur en brandissant un formulaire sous le nez du juge.

Celui-ci bondit :

– Montrez-moi ça !

Retombé sur son fauteuil, il déchiffra le feuillet avec attention. *En cas de décès, accidentel ou autre, de Joseph, Victor, Marie Lefaure, cette assurance garantit le versement d'un capital d'un montant de 500 000 francs à son épouse, Marthe, Émilienne, Lucie Lefaure…*

– 500 000 francs ! Seigneur ! souffla-t-il, abasourdi. Et d'où tenez-vous ça ?

– Du notaire, pardi ! Maître Cartier. Étant donné les circonstances, il s'est senti tiraillé par quelques scrupules, d'autant qu'il commence à trouver l'empressement de Mme Lefaure à toucher cette somme un peu… comment dire ? Bizarre ?

– Bizarre ? Vous avez dit bizarre ?

L'inspecteur hocha la tête.

– Mme Lefaure ne cesse de lui réclamer le versement de cette police. Il n'a aucun motif légitime pour la lui refuser… pour l'instant !

Le juge se redressa, plein d'une détermination nouvelle :

– Vous avez raison, inspecteur, il n'est que trop temps de dénouer les fils de cette affaire.

QU'EN PENSEZ-VOUS ?

L'inspecteur Jules Machard a-t-il raison de penser que Marthe Lefaure est responsable de l'assassinat de son mari ? Certains indices semblent l'incriminer, mais quels sont les éléments qui pourraient lui permettre d'élucider avec certitude le mystère de la Villa Maud ? Après tout, peut-être l'amant a-t-il décidé de se débarrasser du mari sans que sa maîtresse soit au courant ? Peut-être les 30 000 francs ont-ils été une tentation trop grande pour y résister ? À moins qu'André de Blasius ne soit effectivement l'homme de main du député Lecocq, que Lefaure menaçait de révélations sur ses traficotages ?

LA SOLUTION
DU MYSTÈRE

Le salon de la Villa Maud avait été réquisitionné pour réunir tous les protagonistes de l'affaire. Gendarmes, juge d'instruction, domestiques, tout le monde se pressait dans la pièce. Le seul absent, Albert Fromentin, dit La Filoche, ne manquerait à personne, et l'inspecteur Machard, en accord avec Octave Garnier, avait jugé que sa présence n'était guère nécessaire.

Marthe Lefaure descendit de sa chambre où elle se reposait. L'inspecteur la pria de prendre place sur le sofa près de la cheminée. André de Blasius, debout près du manteau de celle-ci, s'écarta légèrement. Le juge Garnier s'exclama, comme si la pensée venait de le frapper soudainement :

– Oh, j'oubliais que vous ne vous connaissez pas, pardonnez-moi ! Madame, je vous présente André de Blasius, Monsieur, je vous présente Mme Lefaure.

Ils se saluèrent tous deux d'un air gêné, et Blasius préféra alors gagner l'extrémité opposée du salon, tandis que le brigadier Bellot les contemplait avec une mimique goguenarde. Jules Machard lança un regard de reproche au brigadier, mais s'efforça, lui aussi, de dissimuler un sourire. Rien que l'embarras manifesté par le jeune Blasius suffisait à démontrer que Marthe Lefaure ne lui était pas inconnue. Celle-ci, en revanche, était demeurée à peu près impassible.

– Inspecteur, à vous ! lança le juge Garnier.

Celui-ci vint se placer devant l'assistance disposée en demi-cercle. Les domestiques étaient restés debout.

– Eh bien, nous sommes ici pour vous communiquer les résultats de l'enquête concernant l'assassinat de Joseph Lefaure… Ainsi que ceux de votre agression et du cambriolage manqué, Madame, ajouta-t-il avec un signe à l'adresse de Marthe Lefaure. Il nous a semblé plus judicieux de vous réunir tous ici, car c'est dans cette maison, à la Villa Maud, qu'un premier mystère m'a permis de démêler… eh bien, tout le reste. Plusieurs détails un peu incongrus, dirons-nous, ont ainsi attiré mon attention dès le début. Commençons par l'agression de Mme Lefaure…

Celle-ci serra contre elle en frissonnant le grand châle noir dont elle avait entouré ses épaules.

– Lorsque j'ai enfoncé la porte de la chambre de madame, et que nous l'avons délivrée de ses liens, la fenêtre était grande ouverte, et la pluie, qui tombait à verse cette nuit-là, avait formé une large flaque sur le parquet…

L'inspecteur s'interrompit un instant, laissant planer le silence, tandis que l'incompréhension se lisait sur tous les visages. Il poursuivit :

– Cette flaque était, comment dire… intacte ? De même d'ailleurs que les vantaux, le rebord et la poignée de la fenêtre. Aucune trace d'effraction. Mais il est vrai que madame m'a dit qu'elle avait laissé la fenêtre à la crémone… En revanche, un cambrioleur qui remonte du rez-de-chaussée, sans avoir, je le suppose, une envie folle de s'éterniser sur les lieux, enjambe de nouveau cette fenêtre pour redescendre par l'échelle et, une nouvelle fois, sans laisser aucune trace ?

– Que voulez-vous dire ? intervint le brigadier Bellot, les sourcils froncés.

– Eh bien, cet homme n'a pu faire autrement que de piétiner dans la flaque d'eau, mais nous n'avons retrouvé ni empreintes ni éclaboussures, rien !

– Mais nous avons l'empreinte dans la plate-bande !

– Ah, celle-ci… J'y arrive, justement. Ainsi que je viens de le redire, et comme vous vous en souvenez tous, la pluie tombait à verse, ce soir-là, au point que nous n'avons guère pu examiner les abords de la maison. Nous avons retrouvé dans le gravier une allumette-bougie tellement détrempée qu'il était quasiment impossible de l'analyser… Et pourtant, le lendemain matin, dans la terre de la plate-bande entourant les rhododendrons, nous découvrons une empreinte *parfaite* de semelle d'homme ?

– Comment cela, parfaite ?

– Eh bien, parfaitement identifiable, « photographiable » ?

– Qu'insinuez-vous par là ?

– Que cette empreinte n'était pas là la veille au soir, qu'elle nous a été obligeamment « fournie » le lendemain matin, alors que la pluie avait cessé ! Et donc, qu'aucun « cambrioleur » n'est entré ni ressorti à l'aide de cette échelle…

Un murmure d'indignation souleva l'assistance lorsqu'elle comprit ce qu'impliquait la déclaration de l'inspecteur. André de Blasius monta sur ses grands chevaux :

– Monsieur, c'est une honte ! Oser mettre en doute les déclarations de cette pauvre femme, qui a perdu son mari dans de telles circonstances…

– Pour un homme qui ne la connaît pas, je vous trouve bien prompt à la défendre ! rétorqua l'inspecteur d'un ton sarcastique. J'ajouterai que, ayant été le premier à ôter son bâillon et ses liens à Mme Lefaure, je peux vous assurer qu'ils n'étaient guère très serrés… Il lui aurait été très facile de se ligoter elle-même.

– Monsieur le juge, je ne manquerai pas de me plaindre de vos hommes au préfet Lépine ! Comment pouvez-vous laisser faire une chose pareille ?

Octave Garnier foudroya le jeune homme du regard, lui intimant avec sécheresse de se taire et, d'un signe de tête, invita l'inspecteur à continuer son exposé. Celui-ci reprit :

– Par ailleurs, le voleur n'a pas fracturé le coffre, n'a pas pris les titres… Il y avait pourtant là des actions au porteur… Drôle de cambrioleur ! Mais si cette agression était donc simulée, la question était : pourquoi ? Pour se forger un alibi ? Pour lancer la police sur une fausse piste ? J'ai mis un moment à comprendre la mécanique infernale qui avait ici été mise au point, et je vous avoue que j'en ai attrapé des migraines…

« Mais reprenons depuis le début, en adoptant un autre point de vue : Joseph Lefaure, secrétaire général de la préfecture de l'Eure, se rend à Paris au ministère, où il doit recevoir une somme de 30 000 francs, prélevée sur des fonds secrets, pour les élections qui approchent. Or, M. Lefaure est par ailleurs endetté… Il a eu quelques investissements malheureux, et ses créanciers commencent à se faire pressants. De ce que nous en savons, M. et Mme Lefaure forment en apparence un couple uni, et l'on peut supposer que Mme Lefaure est au courant des déboires financiers de son mari ?

L'inspecteur poursuivit sans attendre de réponse à son interrogation :

– Pourrait-on imaginer que germe, dans l'esprit de M. et Mme Lefaure, l'idée d'une mise en scène qui leur permettrait de mettre la main sur ces 30 000 francs ?

Un hoquet de surprise secoua l'assemblée.

– M. Lefaure, par exemple, une fois la somme récupérée et placée dans sa mallette habituelle, la dépose à la consigne de la gare Saint-Lazare. Nous ne retrouvons pas ses empreintes, puisqu'il porte ses gants, puis va prendre son train, et prévoit de se blesser, faisant croire qu'il a été agressé, et qu'on lui a volé cet argent ?

– Il ne s'est pas lui-même enfoncé le crâne et, de toute façon, il a été empoisonné ! protesta Edmond Locard.

– Un peu de patience, docteur…

L'inspecteur reprit :

– Hélas, Joseph Lefaure n'a pas vécu assez longtemps pour « profiter » de cette mise en scène. Car, par ailleurs, Mme Lefaure entretient avec un jeune homme, André de Blasius, une relation… coupable. Et elle va tirer parti du voyage à Paris de son mari pour manipuler son amant. Lui, c'est avec les 30 000 francs qu'elle l'appâte… Il est prêt à tout pour elle et il a de gros besoins d'argent. Sans compter que la « réflexion », dirons-nous, ne fait pas partie de ses qualités premières…

André de Blasius sauta sur ses pieds, mais le brigadier Bellot le fit rasseoir d'autorité, sans qu'il ait eu le loisir de répondre à l'insulte.

– Il ne se pose pas de questions sur la suite des événements. Pense-t-il que Marthe Lefaure sera alors entièrement à lui ? Ne pense-t-il qu'aux 30 000 francs ? En tout cas, Mme Lefaure le convainc sans peine : un peu d'éther sulfurique, un coup de casse-tête, et l'argent est à eux… Ce qu'il adviendra ensuite, ma foi… Marthe Lefaure lui communique donc l'heure du train que doit reprendre son époux, qu'il note sur une page de l'indicateur des chemins de fer.

« Ainsi, Monsieur, poursuivit l'inspecteur en s'adressant directement à André de Blasius, le moment venu, à la gare Saint-Lazare, vous montez la garde sur le quai où attend le rapide de 18 h 53, surveillant l'arrivée de Joseph Lefaure. Par chance, il y a peu de voyageurs, vous pouvez donc prendre place dans le même compartiment sans être remarqué. Puis, une dizaine de minutes avant l'arrivée en gare de Maisons-Laffitte, vous sortez le flacon d'éther, dont vous avez pris soin de vous munir, et vous agressez Joseph Lefaure, à qui vous administrez un violent coup de casse-tête. Vous fouillez son bagage, dans lequel vous ne trouvez pas l'argent, et pour cause, puis jetez par la fenêtre du wagon successivement le contenu, quelques effets, rien de plus, le bagage lui-même, le chapeau et les gants. Et dès l'arrêt du train, vous descendez à contre-voie dans l'obscurité…

André de Blasius se dressa livide, la voix chevrotante :

– C'est faux ! Tout ceci n'est que pure invention !

– Vous, Madame, ainsi que je l'ai dit, aviez prévu avec votre mari qu'il simulerait une agression contre sa personne, prétendant s'être fait voler la somme remise par le ministère… alors qu'avant d'aller prendre le train, il l'avait déposée à la consigne… où il serait venu la chercher plus tard !

« Bien entendu, il ignorait que, pendant ce temps, vous manipuliez votre amant et que celui-ci, de son côté, devait l'attaquer pour lui subtiliser les 30 000 francs, dont vous saviez très bien qu'il ne les avait plus !

L'inspecteur reprit son souffle, ménageant ses effets, tandis que ses interlocuteurs semblaient paralysés sur place.

– Car cette agression n'avait en réalité qu'un but, pouvoir faire accuser votre amant du meurtre de votre mari, que vous aviez vous-même pris soin… d'empoisonner !

Le brigadier Bellot roulait des yeux perplexes, et l'on sentait qu'il forçait son cerveau à mettre en place les multiples rouages de la machination.

– Dieu du Ciel ! Comment aurais-je pu faire cela ? Et quelle raison aurais-je eu de vouloir éliminer mon pauvre mari ? gémit Marthe Lefaure en se tordant les mains.

Le juge d'instruction intervint avant que Jules Machard n'ait eu le temps de répondre :

– Eh bien, une police d'assurance de 500 000 francs, par exemple ?

Marthe Lefaure plongea son visage en sanglotant dans son mouchoir tandis que, à l'autre bout de la pièce, le jeune André de Blasius écarquillait les yeux, figé de stupeur.

◆ ◆ ◆

Il fallait connaître le dosage exact, avoir une bonne connaissance des effets de l'opium, pour calculer à quel moment opportun le secrétaire sombrerait dans l'inconscience…

◆ ◆ ◆

Sans prendre garde aux réactions des intéressés, le docteur Edmond Locard pressa l'inspecteur :

– Mais enfin, Machard, comment a-t-elle pu l'empoisonner ? Même si le cambriolage était simulé, elle se trouvait à la Villa Maud, avec de nombreux témoins pour attester de sa présence ?

Les domestiques hochèrent violemment la tête en signe d'assentiment.

– Eh bien, très simplement, docteur… Le secrétaire général Lefaure souffrait de fortes douleurs de dos, raison pour laquelle il portait une ceinture lombaire, et prenait bien soin de dissimuler, aussi bien aux domestiques de la Villa Maud qu'à la préfecture, qu'il absorbait du laudanum. Vous, Madame, son épouse dévouée, étiez la seule à le savoir. Il craignait plus que tout que le voyage en train ne redouble ses douleurs… Vous lui avez donné avant son départ un flacon très fortement dosé, en lui recommandant d'en prendre juste avant son voyage de retour. Vous tabliez sur les deux : l'agression par votre amant et l'empoisonnement au laudanum !

L'inspecteur se tourna vers le docteur Locard :

– Que l'assassin ait su avec certitude à quel moment administrer, offrir, que sais-je, le laudanum à Joseph Lefaure pour qu'il puisse succomber à cet empoisonnement dans le train me paraissait impossible… Trop d'éléments aléatoires. Vous imaginez, par exemple, le jeune Blasius mettre au point ce genre de « compte à rebours » ? souligna-t-il avec une ombre de sourire. Il fallait connaître le dosage exact, avoir une bonne connaissance des effets de l'opium, pour calculer à quel moment opportun le secrétaire sombrerait dans l'inconscience… Il ne demeurait donc qu'une solution plausible : que Joseph Lefaure ait lui-même absorbé volontairement le laudanum, sur les conseils de sa femme, ignorant que celui-ci avait été très fortement dosé !

Le docteur Locard en demeura la bouche ouverte, et l'inspecteur poursuivit, en s'adressant à Marthe Lefaure :

– Que vous importait, à vous, le moment où votre époux allait succomber ? Vous saviez qu'en plus, André de Blasius se chargeait de lui défoncer le crâne ! Après avoir bien recommandé à votre mari de prendre son laudanum avant le départ du train, vous n'aviez plus qu'à attendre…

« Vous avez ensuite tout fait pour faire accuser votre amant : me laissant entrevoir que vous aviez confié à quelqu'un le retour de votre mari lesté de ces 30 000 francs, me lançant sur la piste d'un mystérieux "carnet", sachant les liens entre Blasius et Lecocq, lorsque vous jugiez que l'enquête n'avançait pas assez vite dans la bonne direction et, enfin, n'hésitant pas à concocter une lettre de dénonciation ! Vous aviez raison, docteur Locard : au fond, qui servait-elle, cette lettre ? Nous savions qu'il était impossible à Mme Lefaure de se trouver dans le train de 18 h 53. L'agression simulée contre votre personne, Madame, mise au point avec votre amant, vous fournissait un alibi parfait tout en nous égarant totalement. Nous ne pouvions pas vous accuser du meurtre de votre mari. En revanche, la lettre pointait très clairement un coupable : André de Blasius.

Debout, pâle comme la mort, celui-ci agrippait des deux mains le dossier d'un fauteuil. L'inspecteur se demanda s'il se retenait pour ne pas tomber, où s'il s'empêchait de bondir.

Mais ce fut Marthe Lefaure qui les prit tous de court. Avant que quiconque ait pu esquisser un geste, elle traversa le salon pour se jeter sur son amant et lui griffer le visage en hurlant :

– Imbécile ! Je savais que je ne pouvais pas compter sur vous ! Je le savais !

Deux gendarmes se précipitèrent et la maîtrisèrent avec difficulté, tant la veuve était transformée en furie, puis l'entraînèrent hors de la pièce. Marie, la jeune femme de chambre, pleurait à gros sanglots, effondrée sur une chaise.

– Madame… Madame… Ah ben ça alors… Qui aurait cru… balbutiait la cuisinière en tortillant les pans de son tablier.

DANS L'AFFAIRE DE LA VILLA MAUD, VOUS DEVRIEZ VOUS INTERESSER A LA BELLE VEUVE, QUE SOIT DIT EN PASSANT, ON NE VOIT PAS BEAUCOUP AVEC SES VOILES NOIRS…

D'AUCUNS RACONTENT QU'ELLE AURAIT UN JEUNE AMANT, QUI NE SERAIT PAS ETRANGER

ÉPILOGUE

Le silence était retombé sur la Villa Maud, où ne restaient plus que les domestiques. Le jeune Blasius était parti entre deux gendarmes, menotté, et l'inspecteur Machard n'était pas tout à fait certain qu'il ait encore bien saisi à quel point sa maîtresse avait tenté par tous les moyens de le faire incriminer. Sans doute ne s'en tirerait-il pas trop mal au procès, puisque le décès de Joseph Lefaure n'était pas consécutif au coup de casse-tête qu'il lui avait administré.

– Eh bien, on peut dire qu'elle était acharnée à la perte de son mari, celle-là… ! remarqua le brigadier Bellot qui n'en revenait toujours pas, tandis qu'ils attendaient sur le perron de la Villa Maud l'automobile qui devait les ramener à Paris.

Si elle n'avait dû compter que sur cet imbécile de Blasius…

– Ma foi, une police d'assurance de 500 000 francs, voilà qui tenterait beaucoup de gens… Cela dit, souligna le juge d'instruction avec cynisme, elle avait raison : deux précautions valent mieux qu'une… Si elle n'avait dû compter que sur cet imbécile de Blasius… il n'a même pas été capable de tuer convenablement son mari, puisque le coup de casse-tête n'était pas fatal !

Bellot réfléchissait, les sourcils froncés.

– Eh bien, brigadier ? Vous paraissez soucieux ?

– Et l'empreinte ? La chaussure d'homme au pied de l'échelle ?

– C'est elle ! Tôt le matin, avant que nous ne revenions et alors qu'il avait cessé de pleuvoir, elle a formé cette empreinte dans la terre. Je vous parie qu'elle s'est servie pour cela d'un soulier de son mari et que, si vous examinez les chaussures de Monsieur Lefaure, vous allez retrouver celle qu'elle a utilisée ! Le Docteur Locard se fera un plaisir de procéder à la comparaison.

◆◆◆

Marthe Lefaure a provoqué sa propre perte…

◆◆◆

– Je ne voudrais pas paraître insistant, intervint de dernier, mais cette affaire ne fait que vérifier le principe que je professe, suivant lequel nul ne peut agir avec l'intensité qui caractérise l'action criminelle, sans laisser de multiples traces de son passage…

– Ou ne pas en laisser, justement ! souligna l'inspecteur de la Sûreté. C'est très précisément ce point qui attiré mon attention à la Villa Maud. Trop peu d'indices d'un côté, et trop de l'autre. L'erreur de Mme Lefaure a été cette lettre anonyme… L'indice de trop ! Depuis le début, cette agression, cette tentative de cambriolage, tout cela me laissait dubitatif. Mais sans les informations que nous ont fournies la lettre et son contenu, nous serions toujours gros jean comme devant ! Marthe Lefaure a provoqué sa propre perte…

Le brigadier Bellot leva la main, comme à l'école.

– Une dernière question, inspecteur ?

– Allez-y, mon vieux ! fit Jules Machard en riant.

– Pourquoi Lefaure a-t-il conservé le menu de son déjeuner avec Lecocq ?

L'inspecteur haussa les épaules.

– Qui le saura jamais ? Sans doute sans aucune raison. Une de ces choses que l'on fait comme cela, presque sans y penser… Un plat qui lui a plu particulièrement… Que sais-je ?

Création graphique : www.mondaymonday.fr
Illustrations : Getty Images

Imprimé en Chine par Toppan
pour le compte des éditions Marabout.
Dépôt légal : Septembre 2011
ISBN 13 : 978-2-501-07171-0
40.7587.5
Édition 01